身心的健康與喜悅，是無價的如意珠寶。
面對快速變動，未知的時代，現代人充滿焦慮、恐慌、失眠、高血壓、癌症……等文明病；雷久南博士，以三十年的親身體驗、學習和研究，分享並鼓舞每個人，找回生命真正的渴望。

本書涵蓋：
- 高能量食物吃出健康
- 冬天、夏天的食譜
- 如何決定個人最適合的食物
- 身心排毒的妙方
- 簡易動補法
- 五台山八步功
- 冷暖的平衡
- 活潑的眼睛・健全的視覺

ISBN 957-8840-14-4
00240
9789578840140
定價 240元

多年來，學習淨化身心靈的腳步不曾停歇。

1989年11月於德國柏林教導示範中國氣功。

示範生機飲食，走向身心靈整體健康的第一步。

與佑生基金會，共同追求地球生命的圓滿。

1994年起，帶領學員走向更究竟的自然農耕，來到Bob的農場實地學習。

995年，Bob的農場。一群追求體驗和實踐的新自然農夫。

1994年，與邱麗惠同心共創琉璃光雜誌，
廣大散播身心靈整體健康的種子。

1994年，於新加坡萬人體育場公開演講。

1996年，於紐西蘭舉辦研習營。

慈濟邀請演講。

馬來西亞學員心得分享。

與何瑞德教授相伴
相隨，遍歷山林，
走向生命最深處。

不拘形式地與自然互動、向自然學習成了琉璃光學員
淨化身體、淨化心靈的最大動力。

琉璃光・成長書 2

回歸身的喜悅

我的三十年學習

雷久南 著

《自序》何謂眞補品？

雷久南

食補是中國早有的觀念，而且有一套很講究的學問。然而，傳統上談「補」，必然離不了雞或肉，或山珍海味，只要看看皇家食譜就知。也因爲中國人的「食補」讓大自然中的野生動物絕種或面臨絕種，可憐沒有掌的熊、沒膽的蛇、沒有骨頭的老虎、沒有腦的猴子，都被人吃進肚裡了。

但「補」後的人又健康長壽嗎？山珍海味要眞是補品，那皇帝們必然是長壽的，事實上，皇帝中長壽的不多；反而吃粗菜淡飯的農人，或在山中練氣功、修道的人會比皇帝和宮中的人來得健康長壽。今日我們有統計數字可看出，到底什麼是眞補品，什麼是補心臟病、癌細胞、糖尿病的「補品」。

健康的最大障礙是「習慣」，思想上、情感上和生活上的習慣都可能是我們的病源，然而，要改也最難。吃更是我們情感上的寄託，小時候吃什麼，長大就喜歡吃什麼，而且認爲是理所當然的，一般人不是面臨重病，是不輕易改變飲食習慣的。

我改變飲食三十年了，介紹健康飲食也快三十年了。早期幾乎沒有人接受這種「新」的飲食觀念，因為與「習慣」差太遠，漸漸的，當癌症、心臟病和慢性病不斷增加後，才有一些人開始試試這種新食補觀念；也許是效果很好，慢慢願意改習慣的人愈來愈多。往往家裡一個人先改，然後帶動全家改，現在，幾乎每一個人多少都接觸過這種新食補觀念。至於什麼時候改，每個人自有時候。

吃自然食物

什麼是「新」食補觀念？簡單來說，就是吃我們的自然食物——穀類、蔬果、種子、核果、豆類和海藻類。

如果我們的自然食物是雞、豬、牛、羊、肉、魚、山珍海味，則當我們看到活的動物時，一定像老虎、獅子一樣垂涎三尺。有哪一個三歲或五歲的小孩看到一隻雞或一條活魚，會抓來就放進嘴裡？

然而，每一個生長在亞熱帶氣候的孩子，都有看著黃透了的芒果或紅透了的荔枝垂涎三尺的記憶；在東南亞的孩子們則是看著榴槤垂涎三尺。

太多的醫學報導已證明植物性食物最適合人類，已患有心臟病、癌症和其他慢性病的人，只要能改變不自然的飲食習慣，健康都會有進步。

從小吃魚肉蛋奶長大並初次接觸到「新」食補觀念的人，總擔心沒有吃動物性的食物會營養不足，尤其怕缺蛋白質、鈣、鐵和維他命B12等。讓我們看看實際的醫學統計數字，而非「假設」的營養學。在美國心臟病和癌症是兩大死亡主因，男士中五〇%的人死於心臟病，而男士中素食者死於心臟病的只有四%，如有吃奶或蛋的則增加到十五%。

素食有益健康

癌症在美國已成流行病，至少每三個人中有一個人在一生中會得癌症。素食者得癌症的機會少於肉食者，每天吃肉的婦女得乳癌的機會是很少吃肉的婦女（少於一星期一次）的三點八倍。

在中國一項七年六十五縣的調查中發現：蔬菜吃得愈多，肉類吃得愈少的縣，健康情況最好。所有常見慢性病的發病率與肉類的食用成正比。

我們需要的蛋白質從植物中攝取是足足有餘的，只要飲食均衡，熱量夠，蛋白質一定夠。母奶中蛋白質占卡洛里的五%，聯合國世界健康組織建議蛋白質只需占四點五%，蔬菜中蛋白質占卡洛里的比例是：菠菜四十九%、芹菜二十一%、豆類二十三—四十三%、穀類八—二〇%、水果五—十六%、種子類十二—十八%。我們反而要擔心的是蛋白質過量，而不是不足，過量的蛋白質會促使鈣流失，因此美國人雖鈣的攝取比非洲人多，但骨質疏鬆症也比他們多，這就是蛋白質過量之故。至於維他命B群，尤其是B12，是來自腸胃裏的友善細菌所製造，任何發酵的食物，如味噌、泡菜等都有。植物中深綠色的蔬菜是鈣和鐵的好來源；海菜類、如海帶、Hijiki、紫菜等，也是極佳的礦物質來源。進一步資料可參看《身心靈整體健康》和《新世紀飲食》（約翰·羅彬斯著）。

目錄

卷三・身的另一種滋養——簡易動補法

卷一

我在吃什麼？

新食補觀

邁開健康的腳步

當我們決定要改善生活習慣時，往往第一步最難，不知從哪開始。一旦開始第一步，第二步、第三步就輕鬆多了。以下就從飲食的改變及自我心理的調整爲例來說明：

飲食習慣的改變

如何開始第一步？從最容易的做起：每天中餐或晚餐增加一碗有風味的生菜沙拉。以自己喜歡的材料開始，不要勉強從最不愛吃的開始（參考風味十足的沙拉）。改吃一部分糙米和全麥麵包；葷菜少用一半（雞、鴨、魚、肉、海鮮等），增加蔬菜、豆類和穀類；油、鹽、糖減少用量。

第二步：（也許是一星期、一個月或一年之後）葷菜再減一半，改吃糙米和其他五穀雜糧。不再用白糖、白鹽，改用紅糖、味噌（Miso）或Bragg牌Liquid Aminos調味。一天三分之一飲食爲生食新鮮蔬果。

第三步：完全以五穀雜糧、新鮮蔬菜水果爲食。一天五十％是生食新鮮的蔬果。身體排毒的各種方法依自己身體的需要配合進行，回春水、精力湯、小麥草等，可依自己身體的需要加以補充。

自我心理的改變

我們的人生觀、自我看法及信仰和健康有密不可分的關係。

第一步是認識自己，覺察哪些看法是對自己有益，哪些是障礙自己的，同時並採取積極的態度，多做有益自己和他人的行爲。譬如當人家批評我們時，我們反而積極的去鼓勵他人；當我們生病時，積極的去救命（放生）。

第二步是採取不同的懺悔方法，將心的污染排除。任何不是出於愛心的所作所爲，即是污染。對象也許是人、動物、蚊蟲或是事情或自己。步行懺悔（請參看「懺悔療法」）是最簡單的開始，但效果經常是意想不到的好。心的污染減少時，心情會改善，做事情也順利，「運氣」也會改好。

第三步是深入探討人生的目的，尋找讓我們振奮的目標。我們會發覺利益大衆是最開心的，這個目標不僅是短暫的，還要能長久、徹底的利益衆生。如此，我們自然會朝解脫之道、菩提道上邁進。

消化系統的保健

消化系統從口腔開始，經過喉嚨、食道、胃、小腸、大腸到肛門，共三十呎（九米）長。碳水化合物的消化，從口腔分泌唾液開始，這一步靠細細嚼來完成工作。接著食物送到胃，胃液繼續消化碳水化合物和蛋白質的工作。接著半消化食物到小腸，加上胰臟分泌的消化液和肝臟所分泌的膽汁等，繼續蛋白質、碳水化合物和脂肪的消化。脾臟也參與消化的工作，主要是維持血液的健康和清潔，在消化開始以前及之後，脾臟都會大於平常。

小腸是整個消化系統最長的部分（二十到二十二英呎），消化後的食物主要在小腸吸收，最後到大腸靠微生物分解，做爲最後的吸收，所有剩的殘餘廢物由大腸排出。整個過程在正常情形下大概要十二小時，也就是早餐的廢物在當天睡覺前排出體外，中餐在第二天一早起床排便，前晚的晚餐則在早餐之後排出。

人體的消化系統與草食動物接近，胃液酸度是肉食動物的二十分之一，腸胃是背脊骨的十到十二倍左右。肉食動物的腸胃僅爲其背脊骨長度的三倍，是爲了能迅速地將腐化的肉食排出體外。人沒有爪和銳利的前牙，同時有汗腺，肉食動物皮膚則沒有汗腺，由舌頭排汗。從以上的分析，人類的消化系統是適合消化高纖維的食物，因此保健的第一原則是只吃高纖維的植物食品。消化系統的毛病——胃炎、胃潰瘍、胃癌、十二指腸潰瘍、糖尿病、便秘、大腸炎、寄生蟲、痔瘡、大腸癌等，都來自吃動物性食物和加工（去除纖維的）食品。

吃肉胃酸更酸

先從胃病說起，急性胃病的現象是沒有胃口、想吐、食後胃不舒服，引起原因有燒傷、手術、服用阿斯匹靈或其他藥物、細菌感染或化學污染；慢性的胃病則可能爲十二指腸炎或胃癌的主因，胃酸過多是引起胃病和潰瘍的原因。爲了要消化動物性高蛋白質食物，胃液的酸度會增加（肉食動物胃液酸度是人的二十倍），一方面透支胃功能，另一方面，酸度也破壞了胃表面造成潰爛。當胃的功能長期透支之後，反而變成胃酸不夠，此時其他細菌，如Helicobacter pylori即可在胃裡生存造成慢性胃病。美國人五十歲以上五〇％都有此菌，食用雞類和牛奶是此菌的主要禍源，牛奶中和胃酸讓細菌逃過胃酸的控制。

一旦有胃病，甚至於胃出血該怎麼辦？Bieler醫生在《食物是最好的醫藥》中提及，可用活性酵母粉當食物止住胃出血。三天期間只吃活性酵母粉，每次一湯匙和溫水調稀，隨需要多到一天二十幾湯匙都可以，之後飲食以高纖維植物食品，並少吃多餐。

不完整消化的食物

吃的食物複雜化，對胃和整個消化系統是負擔。譬如碳水化合物和蛋白質的消化所需消化液不同，如果同時食用則兩者都不能完整消化，並造成胃功能的透支，大衆化的食品都是這類食物，如叉燒包、牛肉麵、漢堡、肉餃、火腿、三明治、熱狗、披薩等食用之後，會有不消化感和疲倦感。肉食動物不吃碳水化合物，草食動物不吃肉，只有人是有草食動物的消化系統，但也吃肉，難怪人有那麼多的慢性和急性胃病。

不完整消化的食物容易積存在腸內腐化，提供有害細菌生長條件，同時，不完整消化蛋白質也會引起敏感。因爲大腸的構造是排泄消化高纖維食物，如果吃進去是低纖維的肉、白米、白麵，則會便秘。

一般人很少有一天三次大便的，能有一次已覺得很滿意，更有很多人幾天才一次，本來大腸應該是二吋寬，但長期宿便累積使通道也許只剩鉛筆寬。一旦有便秘，也讓寄生蟲有住宿的環境，大至二十呎的蛔蟲，小至眼睛看不見的fluke在體內作怪，這些客人不但吃好的，還會在內臟穿洞繁殖，新陳代謝的廢物會引起氣喘、風濕、敏感等。

體內大掃除

根本對制法就是體內大掃除，並每天喝二茶匙蘋果醋對溫水來預防寄生蟲的生長，一星期一日的水斷食或水果餐都有助於腸內大掃除。飲食清淡自然，每餐種類（穀物）不要太多，水果單獨吃，蔬菜和碳水化合物相配或和豆類相配都很好，高蛋白質食物不和碳水化合物同時吃，如果能遵守這些原則，每餐吃完後會有精神，也不會消化不良。一天三餐，早餐最好是水果，中餐可以不同的蔬菜，生熟都可，加上種子類、南瓜子、葵瓜子，再加穀類，晚上也是如此。水果可在二餐之間當點心吃，豆類因爲蛋白質和碳水化合物都高，比較難消化，發芽之後則容易消化。穀類如糙米也是一樣，可以泡水發芽再煮了吃，只要一、兩天有點芽，就可以用。暫時不能放棄動物性食物的人也要記得，高蛋白質食物只能和同類同食，不能和穀類、麵包等一起吃，這可避免很多消化不良所引起的不適，如敏感、風濕、便秘、肥胖、疲倦、衰老等。

食物的搭配

美國有一位醫生Dr. William Howard Hay（1866–1940）四十歲時得了嚴重的心臟病，在醫藥無效後，他開始研究食物與健康的關係。他發現身體新陳代謝所消耗的能量八〇%來自鹼性食物，二〇%來自酸性食物，如能補充身體所消耗的則能維持身體健康，酸性食物過剩會對身體造成傷害，缺少所需的鹼性食物也使身體受損。鹼性食物來自蔬果、小米和發過芽的穀類、豆類，酸性的食物來自動物性食物、糖類和穀類。他同時也注意到，消化動物性高蛋白的食物需酸性胃液，消化植物性食物需弱鹼性胃液，如果這兩類食物同時食用，兩者都不能完整地消化。他依這原理將兩類食物分開食用，也注意攝取足夠的蔬果，結果治好了自己的心臟病。他的發現在當時挽救了很多人的健康，也影響了很多醫生，後來的許多自然療法醫師都受益於他的心得。

以下總結他的發現作參考。

食物搭配表

酸性食物（占20%）
穀類（小米除外）
豆類
核桃
腰果
花生
糖類
所有動物性食品

鹼性食物（占80%）
水果
蔬菜
海菜
核果
種子
小米
發過芽的穀類及豆類

食物相和相剋表

I ←相和→	II ←相和→	III
高蛋白質類	**中性**	**澱粉類**
—動物性食品	—核果（花生除外）	—穀類
—蛋類	—油類	—洋芋
—奶類	—奶油	**甜水果類**
（不可與肉類同餐）	—蔬菜類	—香蕉（熟）
水果類	—葡萄乾	—甜棗
豆類	—蜂蜜	—無花果
	—小麥胚芽	—葡萄（甜）
	—麥麩	—木瓜（熟）
	—海菜類	—梨（甜）
		牛奶與酸奶
		紅糖
I←———	相剋	———→III

（擇自於Dr. William Howard Hay 1866-1940研究心得）

【說明】食物原則上分三類

- 高蛋白質（I），中性（II）和澱粉類（III）
- I和II，II和III都可搭配
- I和III相剋
- 奶類例外
- 水果類中的甜水果也是例外

友善細菌

我們體內的友善細菌是我們消化排泄系統的第一道防衛，整個消化系統有四百多種細菌，重量在三磅半左右，平常大便脫水重量的三分之一是活的和死的細菌。從出生到哺乳期腸胃就透過母體接種到友善細菌。這些友善細菌群抵擋病菌，製造自然抗生素、乳酸、醋酸等，使病菌無法生存，同時它們有消化食物和化解毒素的作用，也製造維他命B群，如維他命B12。在正常情形下它們能抵抗食物、水源和空氣中的有害病菌。生存在口腔、胃、小腸、大腸的細菌種類各有不同，也和我們的飲食有關，植物性的食物如蔬果、穀類促進大腸內友善細菌的生長，它們協助肝臟排毒，阻止有害細菌將硝酸鹽轉變爲亞硝酸鹽，這是致癌物亞硝酸氨的原料之一。相反地，肉類的食物難以消化，只是促進腐化細菌的生長。

除了出生前後的因素，如剖腹生產、未曾餵食母奶會影響友善細菌的存在，後天的飲食習慣和用抗生素、西藥、某些食物和草藥，如生吃大蒜、黃蓮等也會更改體內細菌的生存。友善細菌在維護我們的健康上是不可缺少的，不僅消化吸收養份需要它們，分解排泄廢物也需要它們，免疫功能的健康更需要它們。我們只要看一下缺乏友善細菌所引起的疾病就知道它們的重要性。

缺乏友善細菌相關的疾病：

小　腸	大　腸	免疫功能	陰道及尿道
不能吸收養份	便秘	敏感，如花粉熱	陰道炎
體重減輕	瀉肚	癌症	陰道病毒
食物中毒	腸癌	免疫功能低症	尿道炎
膽固醇高	局部性迴腸炎	關節炎	流產
長期瀉肚	偏頭痛	疲倦	
骨質疏鬆症	大腸過敏症 (Irritable Bowel)	肝中毒	
局部性迴腸炎 (Crohn's Disease)		結腸炎	

頸或頭	胃	皮膚	嬰孩	其他
鵝口瘡	潰瘍	青春痘	尿布紅疹	未老先衰

齒齦炎　脹氣　牛皮癬　鵝口瘡　情緒低落
小水泡　濕疹　疝痛　過動症
鏈狀球菌炎　痛風

（取材自Natren詳細資料請看Probiotics, Nature's Internal Healers, by Natasha Trenev, Avery publishing Group 1998。）

消化系統缺少友善細菌的原因

壓力、衰老、藥物（酒、抗生素、可體松、避孕藥、化療）、放療、吃得反常、洗腸、剖腹生產、不曾被餵食母奶、出生嬰孩消毒、Nonoxynol和其他殺精劑和抗生素殘毒、藥草（如黃蓮）、新鮮大蒜、Echinacea和大量塊莖蔬菜汁（如馬鈴薯）。

現代生活中有很多殺害友善細菌的因素，如農業防腐劑、空氣污染、壓力、抗生素、殺蟲劑和高脂肪加工食品等，因此現代人的疾病和缺友善細菌都有關係。譬如肝功能和大腸的功能相互影響，當大腸內累積毒素，會經過血液循環到肝臟，增加肝的負擔，如果能清掃大腸，則肝功能的負擔減少，另外增加大腸友善細菌的活動能清掃大腸，也改善肝功能。醫學報導中有肝硬化的病例，因食用促進大腸友善細菌的食物而改善病情。目前因爲抗生素的長期使用，已有很多突變的病菌不再受藥物控制，此時只有靠我們的「朋友」－友善細菌來解救。

一般人在四十歲後大腸內的友善細菌會自然減少，一些衰老的現象即與此有關，因此隨時補充友善細菌是非常重要的。除了平常的五穀雜糧、蔬果、豆類可以促進友善細菌的生長外，還有一些發酵的食物也可以補充友善細菌所提供的酵素和乳酸，如自然發酵的泡菜、麵食、味噌、回春水和酸奶等。自然泡菜作法容易，只須將包心菜或白菜切細、搗出汁來，裝入瓶中，壓上幾片菜葉和石頭，讓汁出來蓋住菜醬，放在室溫三天到七天即可，食用前只將上面葉子取出即可食用。自然泡菜存放冰箱可吃幾星期，泡菜也可加點海菜、海帶粉或其他的菜，但大部份是白菜或包心菜。

如何選購友善細菌

目前市面上所提供的友善細菌補充品可分幾類：

1. 補大腸的友善細菌：

B. bifidum (Bifidonate, 大腸友善細菌或Bifido factor)

2.補小腸的友善細菌：L. acidolphilus (Megadolphilus, 乳酸菌或Superdolphilus)

3.補消化道的友善細菌：L. bulgaricus (Digesta. Lac, 保加利亞菌或Bulgaricum)

4.剖腹生產或不曾喝母奶所需補充的友善細菌：B. infantis (Life start, 嬰兒大腸菌)

5.三合一友善細菌丸：Trenev- Trio 或Healthy Trinity (旅行方便用)

在選購友善細菌補充品時要非常注意菌種品質和製作過程，最好是玻璃瓶冷藏保存，有效期內能保證每次食用量有十億個菌種數以上，同時未經過離心機濃縮，菌種與原培養液一起保存時活性較高。目前Natren公司（Natren, Inc., 3105 Willow Lane, Westlake Village, CA 91361）的產品最優良、也保證功效。其他有很多非常便宜的品牌，但是效果不好，原因是經離心機濃縮後，細胞膜可能已損壞，活性很少，同時攙雜了其他功效不詳的友善細菌，或是菌種量低等等因素，吃了之後不會有明顯反應，這在家中用牛奶培養菌種時便可明顯看出差別。一般食用後幾天內腸胃的消化和排泄會有改善。

友善細菌對皮膚的保養也很有用，包括頭皮。除了內服，可將酸奶（最好自己做）調配乳酸菌和保加利亞菌塗在皮膚或頭皮上，乾了之後再清洗，對青春痘、紅疹、風疹、頭皮癬及紫外線損傷的皮膚都有康復的功效。酸奶保養皮膚的功效在歐洲早爲人所知曉。

平常用三種粉狀的友善細菌（大腸友善細菌、乳酸菌、保加利亞菌）最理想，空腹時（飯前四十五分鐘）吃大腸友善細菌、乳酸菌，飯時或飯後吃保加利亞菌，份量爲各半茶匙。素食者主要需補充的是大腸友善細菌及保加利亞菌；葷食者及受過抗生素等藥物傷害的人則前三種友善細菌都需要，尤其乳酸菌需多補充一些。年過四十的人需常期補充大腸友善細菌；而保加利亞菌對癌症病人很好，具有殺癌細胞的功用，可一天吃三次，粉狀可多到每次三茶匙，用友善細菌製成的酸奶則每次可吃三湯匙或是更多。

友善細菌．維持健康的朋友

出生時爲剖腹生產的成人或患有敏感症者需先補充一瓶嬰兒大腸菌（剖腹兒因爲沒有經過產道，接觸嬰兒大腸菌，因此絕大多會缺乏）。懷孕初期的母親可補充前三種友善細菌，懷孕末三個月及哺乳期的母親則補充嬰兒大腸菌，以確保嬰兒有足夠的友善細菌；如果孩子已剖腹或早產，又沒有喝母奶的情況下，則可補充嬰兒大腸菌（一天補充四分之一茶匙和過濾水，或加入奶瓶），以減少腸胃敏感的毛病。小孩三歲前需補充嬰兒大腸菌，三歲後就可以補充前三種友善細菌。

特別是處在今日污染的世界中，友善細菌是我們維持健康的朋友。

友善細菌製成酸奶的方法

一般市面上的酸奶都另加了添加劑，以穩固產品，或用的不是功效明確的菌種，最好自己做，新鮮又有益。製成酸奶可使友善細菌的活性更高，也可省錢。可一天或一餐用一湯匙，或是隨意。吃的時間最好與粉狀的友善細菌相同。

用牛奶的作法

選用有機牛奶或羊奶。注意其新鮮度，如不新鮮，有其他雜菌則效果較差。

牛奶四杯用電鍋、蒸籠或隔水加熱到華氏一八〇到二〇〇度(約攝氏八二到九三度)，至少五分鐘，最多不超過四十分鐘。將牛奶放涼，其中二杯加保加利亞菌二茶匙（當溫度降爲華氏一一〇到一一五度時，約攝氏四三到四六度），另外兩杯加大腸友善細菌及乳酸菌各一茶匙，可單獨，也可混合（華氏一〇〇度，約攝氏三八度）。

加了菌種的牛奶放在陶器、瓷器或玻璃瓶蓋著（不要蓋緊），放在燜燒鍋或僅開了燈的烤箱（不加溫）內，或是倒入廣口保溫水壺中，保溫八—十二小時左右，至呈濃稠狀（乳酸菌需時也許更長，多到十八小時），然後可存放於冰箱十天。另外也可以利用電鍋保溫，但需用盤子放在熱源上隔熱，多放一點水，鍋蓋用一根筷子撐起透氣，以免溫度太高；用溫度計測試幾次，確保不超過華氏一一〇度（攝氏四三度），甚至用厚毛巾包住瓶子，天熱時放在室溫下也可以（華氏九五度以上）。

如再重做酸奶時，可用一湯匙酸奶(替代友善細菌)加一杯牛奶的份量，作法與用菌粉的程序相同。菌種有時會突變，因此做幾次後最好再從乾粉菌種開始。

用埃及豆奶（Chickpea milk）的作法

一杯有機埃及豆泡水過夜（漲爲兩杯埃及豆），加三杯半的水，用果汁機打成漿，過濾後的豆渣再加一杯水打漿，再過濾。製成的豆奶放在電鍋裡，邊加熱邊攪動，當溫度超過華氏一六〇度（約攝氏七一度）後就會變稠，不必煮滾，再放涼到華氏一一〇到一一五度或華氏一〇〇度，之後的步驟與用牛奶的作法相同。

做好的酸奶可與味噌、芝麻粉等調味料做沙拉醬食用，其他豆類如黃豆亦可替代，但效果較差。

高能量食物吃出健康

攝取高能量食物，身體會維持高能量。攝取低能量的食物，會使你疲倦和情緒低落，同時加速老化。什麼是高能量食物？第一個條件是污染少，食物不含化學添加物、防腐劑、農藥、高脂肪和腐化細菌。第二點是自然、新鮮、沒有加熱加工的食物。第三點是由肥沃的土壤種植出來的有機農產品，其土壤沒有被化肥、除草劑和農藥破壞。

新鮮水果蔬菜是高能量食物最好的來源。它們在生食下沒有什麼危險。食物加熱至華氏一四〇度（攝氏六〇度）以上，會破壞蛋白質和酵素，營養價值減少很多。只要食物加熱不超過以上溫度，營養就不會被破壞。

有機食物和一般市面上的食物有何差別？一般說來，有機農耕種出來的蔬菜水果味道比較好，營養價值高，因而能量也高。如果考慮所有這些因素，有機農產品較高的價錢是值得的，而且購買有機農產品就是支持延續性農耕法，爲下一代保護土壤。某些地方專家預言，以目前的化學製品用量，再過二十年，土壤會不適合任何植物的生長。

每一個人對食物的反應不同，用肌肉測式或測量器來測量能量，可以判斷不同食物對不同人能量上的影響。測量能量的方法之一如下：一手拿著食物，另一隻手拿著金屬鍊子，讓鍊子自動旋轉，由轉動的次數，可以測出食物對自己能量的影響。大多數人測量時，若順時鐘轉表示是有益的，逆時鐘則有害，轉的次數愈多，能量愈高，可利用這種方法避免食用被污染的食物。

高能量食譜

高熱破壞食物大部分的營養，但在寒冷地區或冬天人們偏愛熱的食物，因此我們設計出一些熱食，但溫度不至破壞其蛋白質和酵素。有時生食和熟食的配合，也是折中的辦法。

早餐的建議

核果與鮮果料理

「素」餐（四人份）

3/4杯麥片

1／4杯葡萄乾

4～6個棗子(Dates)

以上加入夠遮蓋的冷開水泡過夜

2 個新鮮水果切塊

2 杯熱開水

1 片薑

2 湯匙糖蜜(Molasses)

將全部材料放入果汁機內打碎

「棗」核餐

半杯生核桃、杏仁或1／4杯葵瓜子、芝麻

浸泡八小時以上，濾乾後加熱水打碎，可加入前項的「棗」餐食用。

熱核果奶(一人份)

生核果1／4杯：杏仁、核桃、腰果、葵瓜子或芝麻任選一種

浸泡冷開水八小時以上，濾乾後先加少量熱水打碎，再加一杯熱開水混合。喜歡甜味的可加棗子、糖蜜或蜂蜜。

低溫烘烤麥果泥

8杯麥片
1／2杯糖蜜（加1／4杯水）
1／2杯棗子
1／2杯葡萄乾
1／2杯芝麻
1／2杯葵瓜子
1／2杯杏仁

將乾麥片和調稀的糖蜜攪拌均勻，加進其他材料（麥片約占2／3），放入烘烤機內（Dehydrator）烤乾（約十二小時），保存在瓶罐裏。早餐可加熱核奶或果汁沖泡。

新鮮蔬菜汁

紅蘿蔔汁是最受歡迎的，將有機種出的紅蘿蔔用刷子洗淨，用壓汁機（Juicer）取汁。我們選用的是冠軍牌壓汁機（Champion Juicer），它堅固耐用，可壓汁也可擦絲。紅蘿蔔本身味甜，可和其他菜汁搭配，芹菜、甜菜和黃瓜都可和它相混合。另可加片薑，增加風味。

中餐和晚餐的建議

沙拉盤

1. 種子醬

一杯芝麻或葵瓜子泡水八小時，濾乾，放在室溫催芽八小時，放入果汁機加少量水打碎，調味。

2. 發芽扁豆、葵瓜子、杏仁等

豆類或種子泡水過夜，濾乾，每天沖洗一次。扁豆一天，杏仁和葵瓜子兩天即可食用。

3. 紅蘿蔔、甜菜根、芹菜根擦絲

4. 各類生菜、菠菜、西洋菜等

5. 德國酸菜

一個包心菜切細絲或用Champion Juicer擦細絲，加二湯匙海菜粉(Kelp or DulsePowder)混勻，放入罐中壓緊，保持室溫，三到五天即可食用，之後放在冰箱保存。這道酸菜會增添生菜的風味。

6. 海藻類

紅海藻(Dulese)、紫菜或Hijiki。

7. 清蒸的蔬菜根類

穀類的調配

五穀雜糧種子是世界各民族傳統上的主要糧食，種類和吃法雖然有所不同，但都是用完整種子。近一、兩百年來，人們開始食用精製的米和小麥，剛開始時是貴族偶爾吃的食物，從而變成一般人每天的糧食，不少國家，如亞洲想買全穀還買不到。就拿米來說，米一直是亞洲的主食，然而，今天想要在中國或印度買糙米，那是非常困難，幾乎不可能的事。

有位西方人士到中國旅行，要自己從美國背一袋糙米，才能維持他的飲食習慣；我在印度期間曾特地去鄉下找糙米，鄉民聽到我要找糙米都哈哈大笑，他們大概認為那不是人吃的，後來聽說在新德里的高級食品店中才能買到小包裝的糙米。

白米和白麵粉的發明讓人類文化倒退一大步。白米和白麵粉是工業社會的產品，因為精製的米和麵粉能存放很久，不怕壞，但其營養部分，如脂肪、維他命E及B群、礦物質，都在去掉的米糠、麥麩、胚芽中。本來可以維持生命的食物變成只能提供碳水化合物和蛋白質，而且因為缺少纖維，反而使大部分的人有便秘的問題，今日的很多慢性病，如糖尿病、風濕、心臟病、癌症、蛀牙，都和食用精製食品有關。

當糯米遇上小麥

在經濟條件好的國家已可購買到各地出產的五穀雜糧。面對著這麼多種選擇，有時不知如何運用搭配，食用者又有新的考慮，到底南美的小小米和北半球的裸麥（黑麥）在胃裡歷史性的相逢會有什麼後果？南方的糯米遇到北方的小麥又如何呢？

選擇和自己氣候環境協調的食物是最好的原則。熱帶的地方不適合吃太多溫帶的穀類；同樣的，溫帶嚴寒的冬天也不該吃太多熱帶的糧食，而且要協調地搭配，而不是隨意地混合，多種類並不是最好的。

經初步的實驗發現，常見的五穀雜糧可分三類，這三類之間的搭配可提高或減少能量。即米類不適合與小麥類（黑麥、燕麥、小麥）一同食用，而第三類較中立，可隨意和前兩類搭配。

第二類還可再細分爲兩類：小米，能提升米類的能量；蕎麥、大麥、玉米等，則可提升小麥類的能量。每一類互相之間的搭配都很好，莧菜仔（莧米）、芝麻、葵瓜子、小小米可提升任何類的穀類，高能量的搭配，食用時特別香甜容易消化。

這些總結都在五穀種子的搭配表上。原則上，五穀一定要完整地用，而不是去麩、去糠只用澱粉部分；小麥最好是發芽後再用，因爲小麥的麵筋含量高，不容易消化，發芽之後就好了；其他穀類也是在發芽後會增加營養成份；米類可用小火炒黃再煮，如此較鬆軟。

五穀雜糧種子可做飲料、糊、粥、飯、餅、麵條、麵包等，也可加入濃湯、清湯，或做小菜、主菜的材料，三餐都可吃，也可生長爲草、芽來用。

五穀雜糧的分類表

1	各種米（包括：糯米、野米，與甜味相合）
2A	小米、小小米、莧米、芝麻、葵瓜子
2B	蕎麥、大麥、玉米、莧米、小小米、芝麻、葵瓜子
3	小麥、燕麥、裸麥（黑麥）、（與鹹味相合）

五穀雜糧的搭配表（三寶是單一穀類五到十倍的能量）

1+2A	（特好）	任何三種米（芝麻可提高1和2A的能量） 小米、米、小小米 小米、米、莧米 小米、米、野米 小米、糯米、米
3+2B	（特好）	蕎麥、大麥、燕麥（葵瓜子可提高3和2B的能量） 蕎麥、大麥、裸麥 蕎麥、大麥、小麥
1+3	（不好）	

五穀雜糧種子生產地

北半球溫帶

小麥（wheat）

大麥（barley）

小米(millet)
蕎麥(buckwheat)
玉米(corn)
燕麥(oat)
燕麥片(oatmeal)
裸麥(rye)
芝麻(sesame seed)
葵瓜子(sunflower seeds)

北半球／熱帶・溫帶

糙米(brown rice，長、中、短)
糯米(sweet rice)
黑糯米(black sweet rice)
紅米(red rice)
野米(wild rice)

南半球

小小米(quinoa)
莧米（莧菜仔amaranth，也生在北半球）

穀類的調理方法

穀類種子發芽的方法

將穀類種子洗淨，泡水八小時，再將水倒掉，放在碗裡用盤子蓋好，放一天到三天即可使用。可一次多泡一些，分幾天用完。小麥及裸麥在發芽後是乾時的四倍，米發芽後是乾時的二倍。

炒的方法

平底鍋或炒菜鍋均可，先用小火將穀類炒至微黃再煮，能煮出鬆軟的飯。

煮乾飯

乾穀類加二倍水，或按照電鍋的份量；如用發過芽的穀則水份同等份量。加滾水煮會比較鬆軟。

煮粥

乾穀類加五倍水；發過芽的穀加三倍水，但時間較長。

麵食類

麵食類分不發酵和發酵兩類，一般來說，小麥最好發芽或發酵，這樣比較容易消化，可以避免過敏反應。

發酵也以自然發酵為佳，雖然會有些酸味，但可以讓穀類的礦物質，如鈣，更容易吸收。平常快速的酵母發酵沒有乳酸菌的生存，也沒有酸味，礦物質較難利用，傳統上用老麵發酵，營養價值高於近代的酵母發酵產品。

另外，用蘇打粉或發粉做的產品是可以吃，但同樣的，不經過乳酸菌過程的，其利用價值較低，同時會破壞維他命B群的營養，偶爾吃吃可以，但不適合每天食用。而五穀一旦被碾成粉後即開始散「氣」，因此最好在吃之前才碾，當然，這對一般人來說很不方便，可購買碾穀類的配件，價錢是美金六十元左右，傳統用石磨是最好的。如果是購買的麵粉、大麥粉、蕎麥粉等，可以存放在冰箱，等到要做麵食時，再摻一點發芽的穀類以增加營養。發芽的穀類加水可用果汁機打碎，一般來說，二杯五穀芽需半杯水打成糊，再加乾粉調到適當的硬度。

麵食可烤、蒸、煮、煎等，傳統上，麵食都以小麥為主，偶爾用蕎麥、玉米。所有的穀類，特別是小麥類，如蕎麥、大麥、玉米、燕麥、裸麥（黑麥）都可做麵食，在南方則用米類做餅糕、米粉等，看自己生活環境，多利用當地生產的穀類。

三寶甜飯（四人份）

糯米　半杯
小米　半杯
莧米或米　半杯（泡水過夜催芽）
水　三杯到四杯
葡萄乾　一小把
紅糖　一湯匙
大茴香　兩粒

糯米、小米洗淨，用小火炒至微黃，再把水煮沸，放進所有材料，慢火或放進電鍋煮熟，多加水即成粥（五倍水）。

咖哩飯（四人份）

米　一杯（泡水發芽）
小米　半杯（泡水發芽）
咖哩粉　二茶匙（請參看「自然香料」）
有機奶油或植物油　一湯匙
椰子絲　二湯匙

水　三杯
自然海鹽　一點
紅蘿蔔　半杯（切丁）
大茴香　一粒

咖哩粉用奶油炒香，椰子絲用低溫炒黃，與米拌好，把水煮沸，加米和咖哩粉，放進電鍋煮熟，拌進紅蘿蔔。

飯糰或壽司

飯糰是出外旅行野餐、便當的方便用法，特別是兒童們最喜歡用手吃東西。任何飯類都可用紫菜包芝麻、椰子絲；甜飯適合用芝麻或椰子絲，其他用紫菜，紫菜一折成兩份可包一杯飯，裡面可放一點蘇梅、豆干、芹菜、泡菜、味噌等。紫菜可用小火烤乾。

粥

大麥　一杯（或蕎麥、燕麥，泡水發芽，用果汁機加水略打碎）
水　五杯

蕎麥、燕麥、大麥類煮熟吃時可加味噌，煮時可加海帶、香菇。

飯

水　二杯（不打碎大麥）

三寶餅乾（燕麥、蕎麥、大麥）

燕麥仁、蕎麥、大麥　各半杯（磨成粉，或買現成的粉各一杯）

水　三分之二杯

有機奶油或芝麻醬　二湯匙

自然海鹽　少許

將奶油或芝麻醬倒入粉中，加水攪成較硬的麵糰，放在碗裡用盤子蓋好一到三小時，將麵糰切開四分之一吋，切塊或用杯子切出圓型，放在華氏三百度烤箱烤三十分鐘。小麥胚芽可替代任何一種粉。

三寶發芽麵包（小麥芽、蕎芽、大麥）

發芽小麥　二杯（半杯乾的小麥）

喬麥粉　一杯

大麥粉　一杯

水　半杯

自然海鹽　少許

用果汁機打碎小麥芽與水，和蕎麥粉、大麥粉放在碗內，用盤子蓋好，放六至八小時，讓麵糰自然發酵，揉幾分鐘，切開半吋厚，切成圓形，放在烤盤上四小時，以華氏三百度烤三十分鐘。

薄餅

任何小麥類或大麥類的粉　二杯

沸水　三分之二杯

沸水加入粉中揉成糰，稍涼醒十分鐘，分成十塊，攤開在平底鍋上烤稍黃。

如果居住在買不到各種穀類雜糧的地方，只要能買到一種，如小麥，發芽後打碎，摻入全麥麵粉或白麵粉，都可提高營養成份。

自然發酵麵食食譜

穀類自然發酵靠天然野菌種，經過發酵的麵食鬆軟並且容易消化。礦物質在酸化的過程中能被身體吸收利用。發粉與市面上賣的酵母則沒有此功效。

以下介紹「發麵」（Starter）的作法和運用

發麵的作法

1. 培植菌種

■半磅有機葡萄乾加三杯水，將葡萄乾在水裏擠壓出糖份，到水變暗色，放在室溫兩到三天。或

■一杯小麥加三杯水，放在室溫兩到三天。

如有霉菌產生，只要取出去掉即可。酵母和霉菌的生長條件相似，葡萄乾和小麥都有天然酵母菌。

2. 發麵

三天後量出兩杯葡萄水或小麥水加六杯麵粉（一磅半，小麥麵粉或小

麥和裸麥麵粉的混合），調好放在三倍大的容器，放在室溫二十四小時，再放冰箱二十四小時即成發麵。

3. 冷藏

將兩杯「發麵」加兩杯水調好，再加六杯麵粉，放在室溫二十四小時後再放冰箱三天（第一次剩下的發麵可做堆肥，不要用）。

發麵的運用

發麵可以用來做各種麵食，在冰箱可以保存到三星期，之後就必須更新，但最好是在每次做麵食時添加水和麵粉更新；份量都是以兩杯發麵、兩杯水和六杯麵粉的比例。這種發麵麵種不斷延續的時間愈久愈有風味。

一般在西方所說的Sourdough Bread就是用這發麵方法做。一年以後的發麵麵種尤其好。傳統上發麵是互相傳送的。以後更新時只要放在室溫隔夜就可以放冰箱三天後即可使用。

自然發酵大餅

半杯發麵
1杯溫水

3杯到3又1/2杯麵粉（小麥、裸麥、蕎麥或大麥任選一到三種）

1/2茶匙自然海鹽

調好發麵和水，加麵粉和海鹽揉十分鐘，放在鍋中蓋好隔夜（容量至少三倍）。第二天將麵分兩到三個，桿開到平底鍋大小，厚薄隨個人喜愛（1/4吋到1/2吋）。放在塗油的盤子蓋上，置於室溫兩到三小時。將平底鍋燒熱到中等熱度，可放少許油，將大餅放進，蓋好，五分鐘之後看看下面有沒有烤黃，然後翻過煎烤另一面。也可在桿平時在表面加芝麻。

饅頭或包子

作法和大餅相同

在隔夜發酵之後揉成長條，切段放在蒸籠裏兩到三小時，蒸二十—二十五分鐘。包子則桿開包餡。蒸籠上最好擦油或放一塊濕布，蒸好時立刻取出放在盤子上散發蒸氣。也可蒸長條形做蒸麵包。

披薩餅

作法與大餅相同，隔夜發酵的麵桿開1/8吋薄度，放在塗油的烤盤兩到三小時。將烤箱先預熱到華氏五〇〇度，烤八分鐘取出，上面加一些配料再烤五分鐘即可。

以下是一些配料的建議：

1.切碎的蕃茄、蘑菇、青或紅椒、義大利瓜、橄欖鋪在皮上，撒一些有機乳酪（cheddar、mozzarella等）絲，灑一湯匙冷壓橄欖油。

2.燙過或清蒸五分鐘的菠菜切碎、香菜少許、紫蘇、壓碎的松子少許，上面撒些有機乳酪。

3.腐衣泡水清蒸（或用新鮮的），香菇泡開切細炒香和切碎的熟腐衣拌在一起，加適量的痲油、醬油，切細馬蹄和燙過的黃牙白菜再鋪在皮上。

雞蛋餅或薄煎餅（Waffle或Pancake）

2杯麵粉（蕎麥可占2／3，其他1／3）

2杯水

1／3杯發麵

少許自然海鹽

將所有材料調好，放室溫八小時以上，加一湯匙植物油，用烘雞蛋餅的鐵模或平底鐵鍋做薄煎餅。上面可澆楓糖漿或很甜切碎的水果。

歐式麵包（Sourdough Bread）

1杯發麵
2杯溫水
6杯麵粉（小麥、裸麥、蕎麥或大麥隨意，小麥和裸麥的配合最普遍）
1茶匙自然海鹽

將發麵和水調好加兩杯麵粉和鹽，調好再加兩杯麵粉，最後兩杯麵粉加入就可用手揉軟放隔夜。第二天分兩團，揉成長條，放在塗油的盤子，置室溫兩到三小時。烤箱先加熱到華氏四五〇度，烤箱內放一盤水，將麵包放進時溫度降到四〇〇度，烤三十—四十分鐘，拿出放在透氣的架上，儲存在紙袋裏可放很久不壞。如果乾硬了，蒸一下即可。

在歐洲乾麵包可儲存一年以上，要吃時泡水再放在烤箱中烤熱。

在所有麵食中大餅的燒烤時間最短，因此營養破壞最少，蒸的饅頭或麵包也不錯。烤的麵包破壞最大，不過因爲是自然發酵，比市面上賣的麵包營養高，能量也高。

夏天的食譜

夏天是蔬果盛產的季節，是享用大自然禮物的最好時刻，此時，陽光高照，是一年中最熱的季節，大地所提供的食物也都是清涼解渴的，西瓜、甜瓜、哈蜜瓜、葡萄、橙子及熱帶所有各式各樣的水果，都在此時上市。

甜味水果是屬陰性的，在熱天中自然消暑解渴，中暑的解救辦法之一就是喝一杯紅糖水。

看個人所居住的環境，選用當地生產的水果。夏天的早餐最適合以水果為主，瓜類要單獨吃，最好不要和其他水果混用，甜的和酸的水果也不要一起吃，更不要和澱粉一起吃；也可以一個禮拜選一天都吃水果，清清腸胃，或常常中餐也吃水果。

夏天也是斷食的好季節，可以用蔬果汁、清湯或花茶、青草茶等，斷食二、三天，如果要時間更長，最好要有多次斷食的經驗，而且最好是由充滿慈悲心，又有充分經驗的人協助、指導（事先更需要參考相關書籍、錄音帶）。

除了水果之外，由各種蔬菜配合的沙拉也要多吃，新鮮的椰子肉切絲，加入沙拉，可增加點熱帶情調。

此季節也可適量地吃些新鮮的辣椒（長的那一種），在馬來西亞，由於是近赤道的氣候，人人都愛吃新鮮、切得細細的綠和紅辣椒，每餐飯都有；在雲南、貴州一帶，如果不吃辣椒就容易得瘴氣。辣椒有散熱的作用，吃完，滿頭大汗，痛快之至，住在溫或寒帶的人就不適合吃辣的，吃完會冷得發抖。

煮菜方面可變換口味，採用印度、東南亞的風味，但還是以清蒸的菜最好，再加點醬來調味。

吃出清涼好味道

夏天很需要飲料，最好一天六到八杯清水，以下提供一些飲料的建議：

飲料

清水加點新鮮檸檬汁或橘子汁
新鮮椰子水加果肉
新鮮甘蔗汁
新鮮橙汁加點百香果汁

熱或涼茶（花茶、青草茶、葉茶）：

花茶可用桂花、茉莉花、玫瑰花、洛神花、芙蓉花、金銀花、甘菊花等；葉茶可用薄荷、木瓜葉、枇杷葉、桑葉和其他當地的青草茶用熱開水泡，或在玻璃瓶裡裝冷開水放在太陽下曬一天，做太陽茶。

餐點

水果冰點心

新鮮水果都可冰凍做水果冰。選甜的水果，如香蕉（先去皮）、桃子、莓子類、葡萄、榴蓮、荔枝、龍眼、芒果等，再加點果汁，放在果汁機裡打，打得像冰淇淋一樣，其他水果也可以冰凍加果汁打。

烤蘋果或香蕉派

4個蘋果或4根香蕉切片
半個檸檬的汁
3／4杯小麥胚芽
3／4杯椰子絲

1/4杯紅糖或黑糖
1/4杯植物油
1茶匙肉桂粉
蘋果或香蕉與檸檬汁拌好，放在八吋烤盤中，撒上其他料，以華氏三〇〇度的高溫烤一小時。

印度風味的扁豆

一杯扁豆（lentil）入鍋（已泡水過夜）
1又1/2茶匙小茴香
1又1/2茶匙葫蘆巴豆
1又1/2茶匙香菜
2粒大茴香
1或2片薑
1/4杯葡萄乾
扁豆加水三杯，加入其他料一起煮熟（半小時），最後加入半湯匙蕃茄醬和一茶匙油及一點海鹽，吃時可配一點香菜。

清甜湯

蕃薯、瓜類、根類、枸杞葉等，放水煮滾，用小火燜一小時，喝清湯，菜渣可做堆肥（蕃薯提供甜味）。

調味料

酸甜醬滷汁

同等份量的醬油、黑醋、糖蜜、麻油和薑末調好，即成滷汁。

滷印尼豆腐(Tempeh)、豆腐和根類、瓜類的菜一小時以上，再清蒸，上桌時再酌量地加一點滷汁調味。

甜蜜醬

豆瓣醬和麥芽糖或糙米糖漿(Brown Rice Syrup)調配，加點麻油和水，可加入清蒸或少量油炒的菜。

冬天的食譜

健康的飲食應該以蔬菜水果、五穀、豆類、種子、海菜類爲主，而且要以自然農耕法種出、沒有農藥殘毒的最好，至於細節上則須配和氣候和體質、健康狀況，不能一年四季千篇一律的吃。夏天盛產蔬菜水果，因此，應以蔬果爲主，而且最好一半以上是生食；當氣候轉涼進入秋冬時，須跟著大自然調整，才能抵抗寒冷的氣候，食物的選擇則以本地當季生產的爲主。

在溫帶地區，冬天來時，樹木的「氣」和水份都會下降歸回根部，因此樹葉會乾枯。此時，菜類最多的是瓜類的南瓜、冬瓜、根類的菜、包心菜及其他耐寒的蔬菜，如能攝取這些食物，自然抵得住寒冷，尤其是根類蔬菜，含有豐富的礦物質，有貯存能量的作用；同時，身體因爲需要熱量，因此也會想吃高熱量的食物，如穀類、種子類、油脂類。進食的溫度也很重要，避免吃冰冷的食物，最好都在體溫以上的溫度。

根類蔬菜

根類的蔬菜有牛蒡（Burdock）、甜菜根（Beets）、紅蘿蔔、大頭菜

(Kohlrabi)、芹菜根(Celeryroot)、蘿蔔、蕃薯等，這些可做沙拉，也可加入湯、粥、飯裡煮，也可用少量油乾燒。

根菜類的料理

紅蘿蔔沙拉

紅蘿蔔切細絲，灑一點檸檬汁和紅椒粉、薑末，即可食用。

菜根香湯

甜菜根、牛蒡、紅或綠包心菜、紅蘿蔔、大麥、生薑、海帶等切丁或片，加水用慢火煮熟，吃前加味噌和芝麻油調味。另可灑點切細的芹菜、九層塔、香菜或紅青椒，這樣，礦物質和維生素都兼顧到，大麥也可用小麥、蕎麥、麥片替代，這道湯三餐都可吃。

菜根香飯

糙米或糯米2杯(泡水)
甜菜根半個(切丁)
薑片、海帶各一小片
香菇幾朵(泡軟切丁)

麻油1湯匙

用電鍋像平常煮飯一樣，水份大概是2又1／2杯左右。甜菜根可用其他根類菜替代。

包心菜沙拉（6人份）

小包心菜1個（切細）

紅蘿蔔2根（切絲）

小茴香1茶匙

沙拉醬（蘋果醋1／4杯、橄欖油1／4杯、芥末醬1湯匙、自然海鹽1／4茶匙）

混合好再灑上沙拉醬，可灑點低溫燒炒過的芝麻或葵瓜子。

麻菇牛蒡絲

將牛蒡、香菇切成細絲，用少量油將其半炒半燜熟，再撒上芝麻和少量醬油，可佐粥或飯。

穀類

穀類是熱量、礦物質、蛋白質的來源，特別是經過發芽的過程，胺基酸的分佈比例變得很均衡，品質也高。未經加工加熱處理的穀類都能發芽。先將其浸泡於水裡過夜，第二天將水倒掉後，不見光二天，即可用來煮飯、粥，做餅、餃子餡。加工過的穀類，如麥片、去殼蕎麥不能發芽，只能直接用，其他如糙米、小米、小小米、小麥、大麥等都可發芽，小麥麵筋（蛋白質）含量高，更須發芽，對小麥敏感的人主要是對麵筋敏感，經發芽過程就沒有問題了。

穀物的料理

小米百合粥

小米1杯（已發芽）
5杯水
3／4杯百合
以慢火煮熟，另可加玉米或瓜類，如南瓜。

麥芽紅豆粥

小麥芽2杯
紅豆芽（一點點短芽）1／4杯
加5杯水煮熟。

麥芽餛飩或餃子

基本材料：

小麥芽2杯

水1／2杯

核桃磨碎1杯

芝麻粉1杯

薑末2湯匙

麻油1湯匙

味噌1湯匙

小麥芽和水打碎，加其他材料攪拌好，這是基本材料，但可另加切細的黃豆芽或大頭菜、磨菇做不同風味的餡，可做餛飩或餃子。

回春水

回春水是自然療法醫生安．威格摩爾對大家健康的貢獻。作法簡單、實踐容易，但它的保健功效往往出人意料之外。我雖早在二十年前讀研究院時就在H.H.I.學習到作法，但眞正受益是我在一九八七年去印度長住三年期間。在美國時我可依自己的需求買到各種天然食物，小麥、糙米、各種新鮮蔬果、核果等等。在北印度的喜馬拉雅山中則飲食條件大大不如美國。山下的小鎮可以買到豆類、芝麻、小麥、白米、蔬菜、季節性的水果（種類不多）和半白的麵粉。除此之外，沒有其他的選擇。很多西方遊客在印度旅行三個月之後無精打采、便秘、嚴重營養不足，他們都是靠餐廳的食物爲主，白米白麵白糖的東西吃多了，造成維他命和礦物質不足，特別是維他命B群。此時我就教他們自己做回春水，往往立刻見效。便秘的立刻排便，精神不佳的開始有精神。我自己則每日不斷的喝回春水、做回春水，剩下的小麥則餵鳥或和在麵粉中作自然酵母，也發點豆芽來補充當地的蔬菜，短短六個月期間胖了二十磅，當然回春水不是唯一的原因，但也是助緣。離開印度後，我在各地奔波，沒有持續喝回春水，也沒有維持印度期間的體重，其他遊客去印度往往有水土不服的情況，我則剛好相反，不但沒有小毛病，健康比在休士頓(Houston)癌症醫院工作時進步很多。

動手做回春水

回春水的作法：選沒有處理過的小麥(wheat berries)，有機農場種出的最好(organic)。小麥分春麥和冬麥兩種，春麥糖份較高，發酵快；冬麥礦物質高，營養較好，但發酵慢一點，各有所長任選一種，一杯小麥可提供每天四杯回春水。將小麥洗淨放在玻璃瓶或瓷碗裡泡水過夜。注意水要用過濾水，自來水污染物太多會阻礙發芽和發酵過程，逆滲透(Reverse Osmosis)的過濾法最理想，可去除金屬和農藥的污染，往往做回春水失敗的原因，如發臭是因爲水質有問題)，第二天將水倒掉，用「蓋子或碟子」輕輕覆蓋著碗口，發芽兩天，然後加入二倍的水（一杯小麥芽、二杯水）放在室溫攝氏二十五度或華氏七十度，二十四小時即可飲用，可再加水等二十四小時又可飲用，第三次加水飲用之後，所剩小麥可當作酵母發酵或作堆肥。

回春水的營養成份除了小麥本身已有的，如維他命E，還有維他命C、加倍的維他命B群（B12在內）和酵素，一般以爲吃全素的人會缺B12，動物食物才有B12，但草食動物又怎麼攝取B12？事實上，微生物（友善的細菌）是製造B12的來源。只要我們腸子的內在環境健康，友善的微生物會提供我們所需要的所有維他命B群，問題是肉食者腸內腐化細菌多，則友善細菌無法生存。

還有抗生素、防腐劑和化學污染都會造成腸內的微生物死亡，因此才有現代人的現象，雖吃的量多，但健康情況很差。要恢復腸內的健康，回春水可提供一個捷徑，也可補充所缺的營養。安醫生曾在食用放射性處理過的食物後傷了腸胃，她就靠回春水恢復腸子的健康。美國從一九八六年以來，開始用放射性鈷六十決鉋一三七（Cobalt 60 Cesium 137）處理某些食物，如小麥、牛奶、肉、蔬菜等，以延長存放時間。處理過的食物不必附上說明，而且是依政府通過的法令，消費者完全沒有保障。在這種情況下，更要注意保護腸胃的健康。

以下是回答做回春水常問的問題：

問：如果氣候太熱是不是可以放在冰箱做回春水？

答：做回春水的理想溫度是在攝氏二十五度或華氏七十度，太冷太熱都不行；氣溫太熱時縮短時間，也許只泡十二小時就可飲用，太冷的地方要用保溫的方法，如把電燈放在盒子裡或用厚毯子蓋著。

問：回春水味道有臭味可以喝嗎？

答：回春水的味道應說是清甜，也許偶爾有點酸，但絕對沒有臭味。如果小麥本身有問題，如放射處理過或水有污染，則不會自然發酵，反而會腐化，這種情形下，只能做肥料，另換小麥或買過濾水、泉水等，重新再試。

問：一天喝多少？

答：多多益善，有病的人一天喝四杯以上，平常人隨自己喜歡，至少一杯。注意喝時水的溫度在室溫以上，如喜歡喝溫的，也可將容器放在熱開水裡熱一下再喝。

自然香料

香料可用於沙拉醬、湯、菜類、飯類、豆類等。普通一盤菜的用量約一至二茶匙，或依個人口味而定。以下介紹五種香料配方（將香料混合後磨成粉，放入玻璃瓶內保存）：

1.墨西哥香料 1.Mexican Spices

乾紅椒 6湯匙 Paprika 6TBSP

小茴香 2湯匙 Cumin 2TBSP

紅辣椒 1湯匙 Cayenne 1TBSP

月桂葉 2湯匙 Bay Leaves 2TBSP

2.西印度咖哩 2.West Indies Curries

荽子 3湯匙 Coriander 3 TBSP

葫蘆巴荳 1湯匙 Fenugreek 1 TBSP

茴香　1湯匙

小茴香　3湯匙

3.五香粉

肉桂粉　2湯匙

豆蔻粉　1湯匙

八角　12粒

茴香　2湯匙

花椒　2湯匙

4.衣索匹亞咖哩

肉桂粉　2茶匙

葫蘆巴荳　1湯匙

小茴香　2茶匙

紫蘇　1湯匙

大茴香　1茶匙

百里香　1茶匙

豆蔻粉　1／4茶匙

Fennel 1 TBSP

Cumin 3 TBSP

3.Five Spices

Cinnamon 2 TBSP

Nutmeg 1 TBSP

Star Anise 12 Pods

Fennel 2 TBSP

Szechuan Pepper 2TBSP

4.Ethiopian Curries

Cinnamon 2 tsp

Fenugreek 1TBSP

Cumin 2 tsp

Basil 1TBSP

Cardamon 1 tsp

Thyme 1 tsp

Nutmeg 1/4tsp

丁香　2粒　Cloves 2 Pieces

5.突尼斯五香粉　**5.Tunisian Five Spices**

丁香　1湯匙　Whole Cloves 1 TBSP

薑粉　1茶匙　Ginger Powder 1 tsp

紅辣椒　1.5茶匙　Cayenne 1.5 tsp

豆蔻粉　1.5茶匙　Nutmeg 1.5 tsp

肉桂粉　1茶匙　Cinnamon 1 tsp

香料的運用

墨西哥黑豆湯

黑豆一杯泡水隔夜

芹菜或其他菜類

海帶半吋寬小片

水4杯

味噌2茶匙

將泡過水的豆子加水和海帶煮到半熟，加其他材料和香料，最後加味噌調味，其他豆類也可同樣煮法配不同的香料。

咖哩蔬菜

綠花菜、四季豆、瓜類、包心菜等隨意選幾樣，用少量的油，小火將二到三茶匙的咖哩粉炒香，放進切好的蔬菜，用小火焖熟，加味噌調味。

清蒸咖哩菜做法相同，用水替代油。

沙拉醬

檸檬汁、橄欖油、咖哩粉或其他香料，調配成不同風味的沙拉醬。

中國傳統食物回歸自然

中國在農業社會時的飲食都是天然食物。人們大量食用白米、白糖、白麵還是近四十年的事，這所帶來的結果是年輕人體質愈來愈差，反而七十歲以上的人還很健朗。中國人的飲食須回歸自然，炎黃子孫的體質才能健壯。以下是雷媽媽二十五年吃天然素食中所設計的一些天然中國傳統食品。

粽子

材料：黑糯米、糙米、紅糯米等份，先泡水過夜。

配料：以花生泡好煮熟，泡好香菇、紅豆、板栗等隨意加入。包在竹葉子，用高壓鍋加水煮一個小時，吃時可用糖蜜（甜式）、味噌調味。

湯圓

材料：黑糯米、糙糯米、紅糯米任選一種或等份配好，泡水過夜。米加水用果汁機打碎，倒入乾淨布袋掛高滴水過夜，第二天再用重的鍋來壓擠剩餘水分即可用。餡可用黑芝麻粉加紅糖或粗糖，或其他的餡，如豆沙、桂花糖餡等等。

餃子（二十四～三十個）

皮：

2杯全麥麵粉（或一半是沒有漂白的白麵粉）、1/2杯溫水。

先和好麵粉，放一個小時以上，並用濕布蓋著。

餡：

基本的材料：粉絲、香菇、薑末、豆腐干。

菜類：芹菜、黃豆芽、草菇、四季豆、菠菜、芽菜、西洋菜、蘆荀、紅蘿蔔等等，各選一、兩類。

調味：

麻油、味噌。

粉絲、香菇先泡水，切細，豆腐干切細。菜類用開水燙一下，擠出水分切細，菜類一半，其他一半混好，加入調味品。

非傳統材料可用發芽的小麥打碎，替代豆腐干和粉絲。

小麥芽有「黏」性，也可加入打碎的核桃、南瓜子、芝麻、葵瓜子等等。

包好的餃子可以煮、蒸或用一點油煎鍋貼。食用時沾點蘋果醋、自然米醋、薑末等。

包子的自然風味與餃子相類似，用全麥麵粉替代白麵粉或黑白參半。

如何決定個人最適合的食物

要維持健康克服疾病，每一個人必須了解個人的獨特之處。西方的一句諺語說：「一個人的良藥是另一個人的毒藥」，飲食、藥物和生活環境所需的也是如此。然而一般人無法判斷自己所需，只憑他人之說就如法炮製，有時雖花費很多，但沒有什麼效果，甚至有害。現在提供以下幾個原則與方法來決定自己所需。

一、認識自己生長的環境、季節及體質

如果生長在亞熱帶氣候的人採用寒冷地區所適用的食物，不但無益且有害。一般以移民最容易患有這個問題。現舉幾例：中國文化來白黃河一帶的北方，中國醫學和食療法是中國人生活在中原氣候所累積的經驗。中國人移民到亞熱帶和熱帶的東南亞，如果不能「入境隨俗」而維持原來的飲食及生活習慣，長期下來都會水土不服。好比馬來西亞的土族吃的是森林裡的果子、植物、薏仁等，生吃一些野菜類，並吃少許的魚和動物性食品，以往幾乎沒有癌症、慢性病李。華僑則維持中國人的飲食，習慣烤、炒的肉、白米飯及煮熟的

菜，不生吃當地的野菜，他們的癌症和其他的慢性病例大大超過當地土族，依賴中原的藥方來「滋補」，如人蔘、當歸、燕窩等等，往往花了錢，身體並未轉好，也不知原因。

另一移民水土不服的例子是西藏難民逃往印度，從寒冷的高原到炎熱的海平地。在高原的氣候下藏人以喝鹹的酥油茶和炒過的大麥粉爲主食，很少吃蔬菜，只在炒飯、炒麵裡放一點青菜細絲。然而在特別炎熱的南印度，這樣的吃法則會引起腎臟功能衰退、小孩子皮膚長膿、耳朵發炎等許多病。如果能隨著自然環境多吃新鮮蔬果，不喝鹹的酥油茶，這些毛病在短期之內就有改善。南印度人大部分是中東侵略前原住民的後代，其飲食習慣以米爲主，米餅、米糕，加上很辣的咖哩豆子湯和不同的菜，傳統上是素食的，他們之所以能適應較熱的氣候與他們的飲食有密切的關係。

認識你自己的環境，選擇當地和當季的食物，避免從遠地進口來的食物和習慣，同時也考慮到個人的身體所需，訓練自己的感覺來選擇與自己相應的食物。

二、利用能量的相合相剋原理來測量自己所需

每一個物質都有它的能量或「氣」，當兩個或多個加在一起是相和時，能

量呈倍數增加，超過加總之數，如果不和諧則能量會減少，利用這個原理我們可以選擇與自己相和的食物、藥物、環境、工作與人。

測量的方法有多種，傳統上尋找水源的工具是「人」字形的樹枝，雙手拿著兩端，尖頭朝前面，在經過水源時樹枝會自動被一股力量拉下。此法也能很有效地尋找到石油及礦源，曾有石油公司的副總經理精通用此法測油田。用在測量食物或生活上的事，則可藉著肌肉的反應來判斷一個人、一樣物品、一件事或是環境對我們的影響，以此來選擇與我們相應的食物、補充品、環境等等，同樣的方法也可以用來測量食物、植物、土壤及人體的能量。因爲是藉用肌肉的反應來測量，準確度要看測能量的人本身的氣場夠不夠強，肌肉夠不夠放鬆，心念是不是能靜下來，沒有太多干擾。所用的工具可以僅以自己的手指、手臂的力氣來判斷，或是拿著金屬鍊子看它轉動的方向和圈數，以下介紹用金屬鍊子測量能量的方法。

金屬鍊能量測量法

初學者最好選擇輕巧的鍊子，銅的導電功效最好，但任何金屬都可以。鍊子的末端也可以掛一個有重量的東西，如水晶球等，但不是很重要。將要測的東西放在桌上，用平常寫字的手輕鬆地拿著鍊子，最好是垂掛在食指上，大拇指輕輕按著，此時靜下心來讓鍊子自行轉動。轉動的方向有三個可能：順時鐘（向右）轉動、逆時鐘（向左）轉動、來回前後擺動或不動。順時鐘方向表示相合或肯定的答案，如果是逆時鐘方向則是相剋或否定的答案，來回擺動表示中立、不好不壞或未知。如果是測一種食物或環境的能量，則數轉動的圈數，直到自動停止。不動的可能性是測量的東西沒有好或壞的能量，或是測的人肌肉不夠放鬆、氣場太弱等等。每一次測之前，手握鍊子上下順一下，或是用鍊子碰一下其他金屬物，將測量時存於其上的靜電釋出，如此再測下一個時才會準確。

開始測能量時可先用一些熟悉的東西來做比較，譬如水果和白糖，自來水和過濾水等等。有經驗的測量者準確度可以相當高，在西方有一些有經驗的人可以此來尋找水源、油源、遺失的東西、人和判斷機器壞掉的部分等。我認識一位女士她可以判斷身體的病因，包括貓狗，並且測出對治的方法，由於她測量的準確度很高，一般人要找她幫忙，通常要等三個月才輪得到。

學會能量測量的用處很多，買菜時可以測出哪些來自肥沃的土壤，哪些來自化學肥料農業種植的土壤，就是標明「有機」的食物也有等級的差別，有些是從來沒有用過化肥的土壤，有些是近幾年才開始停用的。很多農藥的殘毒經二十年都不能完全消除，D.D.T.是一例，種植的人的心念也會影響蔬果的能量。

記得一回在北加州的農人市場，我父親無意間發現一位老太太賣的水果雖然外表上很不中看，但能量很高。在詢問之下才知道她家族的農場已有一百年以上的歷史，從來就沒有施過任何化肥或農藥，現在年紀大了，她也沒有什麼精力去照顧農場，任其自生自滅。她充滿了愛心，總是有幾句好話和過路的人說說。從此以後我們毫不猶豫地買她的水果、核桃，而很多人則不中意這些看起來不肥大漂亮的水果，反而去買隔壁用化肥農藥等種出來的蔬果。一般有農藥殘毒的蔬果其能量是逆時鐘轉的，有化學添加物及加工過的食品、加工海鹽、白糖、味精等都是。另一次我們在吃了有機糙米之後胃裡漲氣，經測量後發現能量是逆時鐘轉，因爲有機食物的需求增加，有時次等品質的食物也進入市場，如果買東西的人能用能量測量的方法來分辨，就可不受騙。

能量測量的方法可用在測問事情，如果可以「是」或「不是」回答的，順時鐘的答案是「是」，逆時鐘的答案「不是」；如果要選擇不同的決定或方法，可以將這些選擇寫在紙上，用錬子測，正轉次數最多的是最好的選擇，逆轉則是不相應的。除了測食物或藥草本身的能量之外，也可以測與自己相合與否。先用不拿鍊子的手拿著所要測的東西，手背朝天，另一隻手將鍊子置於手背上方處，再測轉動的方向，適合自己的順時鐘轉，不適合的逆轉。

良藥與毒素

西方有個說法：「一個人的良藥是另一個人的毒藥」，也就是說同樣的東西並非對每個人都好，這要看個人的體質、生長環境和健康狀況。有一次我在東馬來西亞示範能量測量時，測當地的一些水果做實驗。水果本身的能量很高，但針對個人測時，發現並不適合我，但對當地人則能量很好；而我從加州帶去的杏仁本身能量很高，對我個人也很高，但對當地人則沒什麼反應。這個經驗再次肯定我們需要吃當地的食物，也說明「水土不服」是因爲改變生活環境時，體質與新環境的食物不相應的關係。

剛開始學習測量能量可能會遇到一些困難，第一是鍊子不動，原因可能是不夠放鬆，或是生物電磁場不夠強。充電的方法是面對東方，兩手臂伸開，左手指尖朝北，右手指尖朝南三分鐘，然後左右手輪流交叉，從肩輕擦手臂幾次。

第二個困難是干擾，如日光燈、頂輪的氣場關閉，或有邪氣污染和心念等，心念會影響到氣場，間接如身體的肌肉和所拿的鍊子也會影響。深呼吸幾分鐘可幫助心靜下來，不在意答案才能準確。如果懷疑有干擾時，可測已知答案的東西或事情，看是否剛好相反。如果測的方向都剛好相反，表示可能是頂輪的氣場關閉，調整頂輪的方法是：觀想頭頂有一個太陽，想到是宇宙圓滿的能量，依自己的宗教默唸幾句聖號，如南無阿彌陀佛、耶穌基督、聖母瑪麗亞等等。

第三個困難是問題的問法，如果問時本身已限制住答案則不會準確，特別是用是否的問法。

這些困難經過一些練習後都可克服。

實行家庭自然農耕

自耕自食在現代的生活中已很難完全做到，但如能有一部分的食物是自己種出來的，則能享受到新鮮、安全、高品質的食物。一般市面上的食品往往是從遠地運來的，新鮮的食物在運輸過程中營養成份會損失，而且爲了延長保存期間還會添加一些防腐劑。

在一次北加州自然農耕的研習課程中，教授農耕的老師鮑伯肯納德（Bob Cannard）先生看著兩位住在公寓的新加坡學員說：「只要有窗戶，就可以自耕自食。」他繼續說：「家裡的每一個窗戶前都可以種上一盆盆的菜，好比三十盆綠花菜，一天收穫一棵也很好。」大部分的人可能沒有任何土地，因此先介紹一些室內栽培蔬菜的方法：

水發芽

這是最容易做到的，在北方的中國人冬天靠綠豆芽、黃豆芽補充食物。任何種子都可以水發芽，穀類中小麥、裸麥、大麥、蕎麥、糙米、小小米等，豆類中紅豆、綠豆、碗豆、黑豆等，其他種子如葵花子、芝麻、苜蓿，或蔬菜類的種子都可以。將種子泡水（過濾水）過夜，將水倒掉，蓋上盤子一兩天催芽，如果是穀類，稍微有芽就可煮來吃，如果想當菜類的芽則每天澆水一次，水要流盡，不可積存，一星期左右就可食用。市面上的發芽器或利用空瓶罐上蓋紗布都能很方便地使用。在食用前見一天的陽光綠化之後營養較好（綠豆與紅豆通常不見光，以防質地變粗）。

土壤栽培法

選用沒有污染的土壤，如果只有購買的土只好慢慢在種植中改良之。如果想讓蔬菜長大一點再收獲則用盆子，如果只想收獲綠芽則二吋深左右的盤子即可。視種子的大小和種類來決定撒種的密度，盆栽用菜水或湯來澆菜是最容易的施肥法，也可以菜葉或蔬果皮用滾水泡成茶，如想補充微生物則用冷水泡發酵，一天到三天左右才用，添加岩石粉、碎蛋殼和貝殼粉則補充礦物質。初次種時可觀察根部的發展，如果茂密均勻則表示土壤養份足夠；如果是一支主根延伸到盆子的邊緣，然後繞著盆子長，表示土壤中的養份有缺失，植物的根在找尋養份。施了各種菜水和礦物質後看看有無改善。

室內堆肥的作法

選一些五加崙、有蓋的桶子，當盆栽收獲後，就將土壤翻倒在桶裡，中間可放一些剩菜葉類，當一個桶子滿時再放一桶，一般三個月後土壤可以再用，如此輪流的栽培、腐化，再補充一些岩石粉之類的礦物質，可以提高土壤的養份。舊報紙剪碎也可以加入堆肥桶中，以平衡過多的剩菜葉與果皮類。一般乾葉草類和新鮮的葉類或剩菜果皮，比例最好是十比一，如此就不會產生臭味或招引蒼蠅，報紙的作用與乾葉乾草相似。

土地耕種法

如果自己有塊小院子則可以在土地裡耕種，最簡單的開始是將平常的剩菜、剩飯、洗菜的爛葉子挖洞埋在土裡，每次埋不同的地方，一方面鬆土，一方面肥沃土壤。如有雜草也不必急著拔掉，可以把雜草當做綠肥，在生長中自然肥沃土壤，過一到三個月之後就可以開始種植。如果再有剩菜剩飯等則放在一角，與乾草、乾葉子混好，加一點土讓它自然腐化。詳細的堆肥作法和自然農耕請參看琉璃光出版社出的《新世紀農耕》。

卷二

送給地、心當堆肥

身、心排毒的妙方

排身毒

任何身體不能消化利用，本應排除體外的物質積存在體內時，會造成身體的負擔，長期下來則導致慢性中毒，引起各種疾病。這些不能消化利用的物質包括過剩的營養（如蛋白質、脂肪、碳水化合物、礦物質）、新陳代謝的產物（如膽固醇、尿酸和其他有機酸）以及一些人造產物（如空氣污染、水污染、色素、防腐劑和人工香料添加物等）。

身體在正常的情況下，會設法將過剩的廢物藉著大腸、腎臟、肺和皮膚排出。有時藉著「小病」，如流鼻涕、咳嗽、痰、瀉肚子、嘔吐、發燒、皮膚紅疹等，將這些積存的廢物來個大清掃。小病時沒有胃口是身體大清掃的反應，存貨還沒清除不能進新貨。毒素排出體外的過程中會造成很多的不適，頭痛、頭昏、疲倦等等，這些都是好轉的現象。

當這些「大清掃」的小病沒有被正確地處理，反而利用藥物壓制住，不讓廢物排出，之後體內垃圾積存愈多，會干擾身體的正常運作。垃圾堆積最多的部分或器官會先出毛病，也許是肺病、膽結石、痛風、血管硬化、糖尿病，甚至於癌症。因此在治療疾病最重要的原則是：

一、不再進食過剩的營養和污染物，呼吸乾淨的空氣、喝清淨的水。

二、疏導排除堆積垃圾的所有器官。

三、充分的休息。

減食是一個很重要的康復養生之道，此時身體才有精力排除舊貨。如在嚴重垃圾堵塞的情況下，只進食流質，如蔬菜湯、蔬果汁、草藥等，這也是一個很好的排毒方法，同時可配合尿療法（詳見「尿療法」篇）效果更好。

重病的人可以從聖納卡印第安人大清掃食療法開始，再配合其他排毒法，如喝三百口水，加練五台山八部功及外丹功、步行等（以下篇幅均有介紹）。

排泄的主要器官有皮膚、大腸、肺和腎臟，因此疏導和促進這些器官排毒是康復的方法，現分別介紹於後。

皮膚排毒

皮膚是排毒的主要器官，屬肺經，因爲肺和大腸互爲表裏，所以皮膚能反映出大腸的健康和清潔狀況。大腸清潔之後，皮膚自然透明有光澤。皮膚出現毛病，顯示身體正在排除肺和大腸所無法排除的毒素。不僅是皮膚，我們的「氣場」也需要加以清潔。以下是各種清潔身體的方法：

乾刷皮膚

用天然刷子或絲瓜刷皮膚，它能去除死細胞，刺激血液循環。乾刷後的皮膚可以直接淋浴，不必使用肥皂。刷時朝大腸方向刷。

熱冷淋浴

這是種相當刺激的淋浴法。它可增加我們的血液循環和對冷的抵抗力。作法是：先開熱水淋浴二至三分鐘，然後改爲三〇秒鐘冷水，一共重複三次。第一次轉爲冷水時，將熱水慢慢關掉，水由熱轉溫再轉涼。要保持身體的熱度不散失，可將雙手交叉壓在腋下，腳不停地跳動。這是加州吳永志醫師所介紹，據他說一星期後，不再怕冷。

清潔「氣場」的淋浴

留在我們身體氣場(Aura)上的污染比較難辨認。多半是由於負面的情緒所造成，如生氣、恐懼、憂愁與焦慮等。我們可以在淋浴時，藉著顏色觀想法來將它們清除。觀想青藍色的水淋在身上，把氣場的污染沖走。

醋澡

醋澡也是一種清潔氣場的方法。用一杯蘋果醋(Apple Cider Vinegar)加入半盆的洗澡水中，泡二十分鐘。

瀉鹽澡

澡盆內放三至四磅瀉鹽(Epsom Salt)，泡二十分鐘。這有助於將體內毒素從皮膚排出。

海鹽和蘇打澡

這有益於去除體內放射線。乘坐飛機或是做放射治療後，可以在熱水中，混合一磅海鹽(Sea Salt)和一磅蘇打粉(Baking Soda)，泡二十分鐘。接受放射治療者，可以每星期泡一次，持續幾個月。

大腸排毒

大腸是排泄的主要器官，如果不通暢，會造成慢性中毒的現象。以熟食爲主的人，往往腸子積存五至二五磅之多的廢物，這些毒素在腸內一再被吸收而影響身體的健康。新鮮沒有加熱的蔬菜水果以及運動，對保持大腸清潔與健康是很重要的。以下介紹幾種清腸及排毒的方法：

白土奶清腸法

白土奶(Bentonite Clay)是一種火山爆發後產生的白色粉末，有吸取正(電)離子的特性。我們體內的毒素和某些細菌都屬正離子，環境污染物很多也屬正離子，利用白土奶作體內大掃除是非常善巧的。具有強大的吸收能力，它可以將附在腸壁上的黏液及毒素排出。調配方法爲：將一盎斯（一湯匙）白土奶徐徐加入一杯水中，並一邊攪拌，直至調成稠糊狀，倒入玻璃瓶內保存。每天早晚各服一次，連續二至三星期，在此期間最好素食。早飯前以一杯溫水加入一湯匙調好的白土奶漿調勻使用。晚飯前再服用一湯匙調好的白土奶漿，直接服用不必加水。

也可做積極的排毒一天五次七天。這七天中間斷食，僅喝以下的流汁：

1.一～二湯匙的白土奶漿配一杯水喝下。

2.一茶匙洋車前子（psyllium seeds）或亞麻種子（Flax Seed）粉加一杯天然果汁或菜汁喝下，可補喝水或草藥等。

一共喝兩大杯液體。也可用一湯匙蘋果醋加一杯水替代，一天五次：早上七點、十點、下午一點、四點、七點。睡前用清水灌腸一次，可以睡得很舒服。

到第四天或第五天會看到像黑繩般的舊廢物，從大腸裡排出，此時可開始吃點蔬菜生的或清蒸或水果，第七天之後停止白土奶的飲用，恢復正常天然素食，這是一種「不餓」的斷食法。

可以每年或隔幾年實行一次。此方法在美國已很普遍，一般健康食品店都能購得。

聖納卡印地安人大清掃食療法

以下是來自聖納卡印地安人的食療法：

第一天：僅吃水果。可選以下的西瓜、木瓜、蘋果、桃子、李子、梨子、櫻桃、橘子、蓮霧等等，香蕉除外。

第二天：隨意喝青草茶或草藥茶。菊花、金銀花、薄荷、木賤草等等，可少量加點糖蜜或黑糖調味。

第三天：盡情吃各種蔬菜，生熟（清蒸）都可。

第四天：煮一大鍋蔬菜湯，花菜、瓜類、其他青菜、根類等等，整天只喝高礦物質的湯（高能量湯料此時喝最理想）。

此食療法有如此作用：第一天清掃大腸，第二天排除肌肉組織和內臟的毒素、鹽和累積的鈣；第三天消化系統得到高礦物質的纖維，第四天血液、淋巴系統、內臟得到所需的礦物。第四天之後飲食回復正常。

灌洗腸

大腸有如一條五呎長的管子，長期使用，內壁會有髒的陳貨，以清水灌洗是去除陳舊廢物的方法。在美國，灌腸師藉著機器的壓力，將溫水緩緩灌入大腸，加以清洗後再將廢物排出。渥克醫生（Dr. Norman Walker）在其《大腸健康》（Colon Health）一書中建議，灌洗腸如同洗牙，一年可以進行兩次大掃除，全部過程大約一小時。在電話簿中查Colonics或Colon Irrigation，即可找到有此專業訓練的人材，進行灌腸，會有意想不到的結果。

蔬果清潔療法

新鮮的蔬菜水果是最好的身體清潔劑。它的自然纖維好像刷子，有助於去除廢物，保持大腸乾淨。蔬果更能提供營養，讓大腸健康。蔬菜水果汁幫助溶解積存的體毒。

1.檸檬：一個檸檬，加入一杯溫水，早上空腹喝，可以清潔腎臟，也可通便。

2.西瓜：腎臟發炎時，每半小時吃一片西瓜。也可一到三天以西瓜爲食，不吃其他食物，這是斷食的一種方法，讓消化系統與排泄系統做個大掃除。

3.蘋果和紅蘿蔔擦絲食用，也是很好的大腸清潔劑。

水——最究竟的清潔劑

每隔一段時間，最好能讓消化系統休息，只喝泉水、過濾水或蒸餾水(Distilled Water)，這叫水斷食。斷食可以讓積存體內的毒素排出，一般人斷食一到三天都可。長時間的斷食，最好在有經驗的人指導之下執行。過於虛弱的人，不適合完全以水斷食，隔一兩天需以蔬果汁補充。在斷食之前，最好先有一段減食期間。斷食完畢，也要有一段復食期，先以湯汁如米湯或果菜汁開始，再慢慢增加固體食物，否則腸胃不適應，會造成腹脹難忍的痛苦。方法錯誤，對身體不但無益，反而有害，有時也十分危險，最好有專家指導。在今日污染的環境下，水斷食比較不適用，用蔬果汁、蔬菜湯或草藥茶水斷食較理想，可以都採用或擇一來用。

家庭灌腸法

在某些情況下有必要實施灌腸，如斷食期間進食流質食物四天以上，大腸會停止蠕動，此時如不灌腸，毒素會積存腸內，再經血液循環吸收回去；當大腸失去自然蠕動的能力會引起便祕（長期吃加工食品，或是含有防腐劑、農藥殘毒的食物容易導致便祕），在自然蠕動恢復期間也需灌腸。

灌腸方法分兩種：第一種是熱水袋式灌腸法，第二種是灌腸板（Colema

Board）式灌腸法。第一種容易實行，第二種需有較專門的器材，因此在此只介紹第一種熱水袋式灌腸法，如下：

熱水袋式灌腸法

器材：灌腸袋（Enema Bag）及管子。

清水灌腸：灌腸袋裝滿接近體溫的過濾水，約四杯左右，將袋子掛在廁所門內的把手高度，讓水流到插管管口，再夾住管子，以排除管內空氣。以左半身側躺在鋪了毛巾的地板上，將插管塗點植物油插入肛門，放水，讓四杯水進入大腸，有任何不適時將管子夾住，休息片刻再放水。如果腸內塞滿糞便，灌一部分水，要先拉出一部分，分幾次才能放進四杯水（平常人乾淨的腸內可容納十六杯水，家庭灌腸法一次用四杯水就夠了）。

咖啡灌腸：咖啡灌腸有排肝毒的功效，也有止痛（如頭痛）的作用。

咖啡作法：三湯匙有機咖啡粉（含咖啡因）和四杯水煮滾十五分鐘，過濾，等咖啡涼到近體溫時，放進灌腸袋，用上述同樣的方法灌腸，保留咖啡在腸內二十分鐘再排出來（咖啡灌腸前需先以清水灌腸一次）。

排宿便：六湯匙有機咖啡粉和八杯水同煮，與上述作法相同，但灌腸時一次只放半杯咖啡入肛門，並從直腸部分開始按摩腸子，順著腸子到左小腹，每半杯再按摩幾吋，橫過肚子，再順著右小腹往下，當整個大腸按摩完，八杯咖啡也用完，全程大約一小時左右，然後排出體外所有廢物。宿便的顏色是黑色，樣子像黑膠一般，最後用清水灌腸清洗一次。如果找不到大腸，可以跪著趴在地上，用手摸小腹區，就比較容易感覺到大腸位置。

灌完腸後需補充大腸友善細菌（請參看「友善細菌」部分）。

肺排毒

在海邊或森林裡散步、作深呼吸是肺排毒的最佳方法。步行，特別在是上坡處可以增加肺活量，最好每天有半小時的深呼吸運動，最容易做到的是快走，但一定要選擇空氣新鮮的地方，在馬路旁深呼吸反而有害。

痰是肺排毒的一個管道，有便祕、吸菸或生活於污染環境下的人也多痰，因此必須同時考慮到如何清痰和避免污染。

中國食療中的去痰方法

在中國的食療法中，煮得很爛的白木耳湯能幫助肺排毒；另外大蒜對於肺部感染，如肺病、肺炎都有幫助，可生吃，或打碎混合油膏（如凡士林）塗在已抹油的腳底，穿上襪子睡一晚，如果是肺炎即刻會有起色。其他如野莧、胡蘆巴豆（Fenugreek）煮水喝也有去痰的作用，用葵花仔油漱口有抽痰的作用，如果能配合大腸排毒與肺排毒一起做其效果最佳。

食物方面選擇清淡自然的蔬果、穀類爲主，避免加工食品、多油、糖、鹽和麵粉製品。如有咳嗽現象尤其要注意清淡自然的飲食法，油炸和多油的食物會引起咳嗽。排毒現象所引起的咳嗽可泡油澡減緩之。

腎排毒

腎臟是身體新陳代謝、排除廢物、排毒和維持體內液體平衡的重要器官。全身的血液每小時經過腎臟二十次（血液裡新陳代謝的廢物變成尿排出體外）。腎臟功能失調會引起腰酸背痛、水腫、血液中有尿毒、高血壓、尿道發炎、疲倦、失眠、耳鳴、脫髮、視力模糊、反應遲鈍、情緒低落、恐懼感，甚至神經錯亂。

腎臟靠兩百萬個小過濾器（Nephrons）清除血液的污染。任何進入身體的物質、飲料、食物、空氣和情緒壓力所產生的毒素都會經過腎臟，如果污染物質太多，造成腎臟負擔太重，短期也許會出現阻塞、發炎現象，長期則有結石、功能衰退、血液不乾淨等各種毛病，最嚴重情況要靠人工腎清除血液污染，不然會有生命危險。

「預防勝於治療」。注意保健，避免對腎臟的傷害才是上上之策。造成腎臟失調的主要原因有下：

1. 食用過多的動物性食物，如肉類、雞鴨蛋等（高蛋白質的食物會產生過多尿酸，讓腎臟工作過量）。

2.工作過勞，沒有充分的休閒。

3.服用西藥，如消炎止痛藥、抗生素等。

4.環境污染：水源、土壤、空氣、噪音。

5.飲用酒、咖啡、汽水、冰冷飲料過多。

6.潮濕寒冷的天氣。

7.飲水不夠。

要保護腎臟就要減少以上的傷害，吃清淡的天然素食，充分的休息，飲用逆滲透過濾水，一星期一天只吃水果或喝水，讓腎臟有休息的機會。冬天避免腰受寒，腳底按摩、手擦熱按摩腰部、外丹功、氣功等都有強腎的功效。

土耳其腎排毒及平衡方法

以下是來自土耳其的腎排毒及平衡方法（草藥醫師Hanna Kroeger提供）：

1杯西瓜子壓碎和12杯水煮三分鐘，過濾，4杯留在室溫，其餘放冰箱，每一小時喝1／3杯西瓜子湯。這三天飲食如下：

早餐　吃西瓜

中餐　喝酸奶或養樂多、生熟蔬菜、和裸（燕）麥麵包（或米飯）

晚餐　蒸梨或煮蘋果醬加酸奶或豆奶，隨意吃多少。

三天之後繼續西瓜子湯和西瓜早餐十四天，其他餐則以天然素食爲原則。以下是自然療法的偏方：

腎臟無法排尿

可藉用親友的尿喝，並用尿濕布敷皮膚有助排泄（參看「尿療法」篇）。西洋香菜（Parsley）的根煮水喝，或山葵（Wasabi）和蘋果汁煮了一起喝（一天三次，每次半杯），或是1／4磅的蘆筍和8杯水同煮，（一天四次每次1杯），這些草茶都有利尿的作用。

排除腎結石

1. 一天喝一打檸檬壓汁加溫水連續七天，砂石會從尿道排出。緩和的排法可一天一個檸檬加水，用幾個月的時間慢慢排出，平日喝六到八杯水，小口的喝。

2.1湯匙蒲公英根（乾的）和4杯蘋果汁煮十分鐘過濾，一天喝三次，每次2／3杯。

腎功能減弱：補充鎂，深綠色菜、五穀豆類都有豐富的鎂。

腎臟或尿道發炎時可以連續兩天吃西瓜，隨意吃多少，但不吃其他食物。

其他排毒法

排肝毒

以下是Jack Schwartz提供的排肝毒法：半杯溫水加一個檸檬、一湯匙糖蜜、一茶匙橄欖油、少許紅椒粉（Cayenne Pepper），早上空腹喝下，連續十天。

排膽結石

肝與膽互相牽連。肝不好之人可以受益於清掃膽。很多人雖沒有症狀，但膽都有結石。膽結石通常是由於飲食過量、口味過重而引起，尤其是脂肪、糖和精製澱粉類食品吃得太多，不喜歡喝水的人也容易患這種毛病。另外，降血壓的西藥其作用如果是利尿，也容易促成膽結石的形成。人過中年，膽裡多少會有點石頭，如果結石小，不會有特殊感覺，最多只是腹中脹氣，等到有膽結石的症狀時（肝區痛），已經結了很多膽石了。下面介紹一種飲用蘋果汁排石的方法，這曾在《身心靈整體健康》裡發表過：

1.每天吃四到五個蘋果或喝四杯蘋果汁，連續五天，其他飲食正常（少油）。蘋果汁作用是軟化結石，使其易於排出。

2.第六天晚飯不吃，晚上六點喝一杯加入一茶匙瀉鹽的溫水。晚上八點再喝一杯同樣溶液。晚上十點，以半杯新鮮檸檬汁與半杯橄欖油（可用芝麻油或較好的沙拉油代替）攪拌均勻，慢慢喝下。瀉鹽可放鬆膽管，橄欖油促使膽囊分泌大量膽汁，把結石沖出膽囊，排出體外。

3.第七天早晨上廁所時即可排出，浮在水面的綠色油狀圓形物即是結石，大如草莓，小如細沙狀。如果第一次排出很多石頭（有些人甚至排出一百多粒），過幾個月再重複一次，一般人一年可做一次。

喝三百口水

早上醒來面對東方，將一杯溫水分三百口喝下。此偏方是我在香港時一位聽衆與我分享的，她曾長期病痛，一位師父教她這個方法康復了她的病，她希望藉著我與更多人分享。

我自己的體驗是：早上吞三百口水可以促進整個消化道的蠕動，幫助消化和排泄。有位學員與他的鄰居分享，本來已躺在床上不能行動的人，在試了幾天之後可以起床行動了。

葵花仔油漱口

早晨早飯前將一湯匙葵花仔油含在口中漱口十五分鐘，讓油在口腔裡前後左右來回的漱，然後吐在馬桶裡。如果吐出來的油是白色，表示身體的毒素較多，如與原來油的顏色差不多，則表示毒素較少。此法來自東歐的醫學資料，對很多病都有益處，包括癌症。視病情的嚴重性，快則幾星期見效，慢則幾個月，癌症要一年才完全見效。

所用的葵花仔油一定要冷壓的（Cold-pressed Sunflower Oil）或其他冷壓高品質的油。目前在美國就是在健康食品店也買不到冷壓的葵花仔油，只能特別向Omega公司郵購，澳大利亞有賣冷壓的油，其他國家則看是否有進口。

卷三

身的另一種滋養

簡易動補法

開啓自我康復的本能

我們有自我康復的潛能，每個人都有這個經驗，譬如說很疲倦，晚上睡一覺早上精神就恢復了；我們也有手指頭被割到傷口癒合的經驗，平常以爲只有小毛病才能自我康復，大毛病來的時候就認爲自己沒有自我康復的能力了。事實上我們都有，不管什麼毛病我們都能自我康復，除了要知道你有這個能力、也要有這個信心，才會想到去用。

恢復知覺

自我康復很重要的開始就是恢復你的知覺，你的聽覺、觸覺、嗅覺、視覺、味覺、心的知覺。我們爲什麼會生病？因爲我們沒有知覺，也許坐的時候姿態不好，吃的是身體不喜歡的、有毒的東西，就是因爲我們缺少知覺沒有反應了。就好比你現在體會一下你的坐姿舒不舒服？現在你的耳朵聽到什麼？聽到有什麼反應？是身體的那一個部位有反應？現在空氣的溫度是高、還是低？你聞到什麼？身體有什麼反應？大拇指與食指輕輕碰一下，全身有什麼感覺？

有什麼情緒？注意你是怎麼呼吸的，是輕鬆、還是憋氣？你吸到胸部、腹部、還是腳底？是不是你一注意它就有所改變？聽到鳥聲身體有什麼反應？與聽到噪音或機器的聲音，是不是一樣？在平常的行住坐臥中去注意，去深深體會。我們平常習慣了某個姿勢，有些是長期的緊張，沒有放鬆但是不知道；有時你可以故意去放鬆，看看你是很緊張地在走，還是讓地球支撐著你在走；故意拍一下膝蓋，看看是僅僅膝蓋有感覺，還是這一拍影響到全身，這樣子下來慢慢地可以恢復你的知覺。

如何與能量接觸

我們要如何感受？如何用意念？你把注意力放在哪，你注意什麼，你就與那個能量相接。你放在正面的、開心的事情，注意宇宙最圓滿的，那你就已經開始得到他們的能量；相反地，你想到悲傷的事，就與其能量相接。看山有山的能量，看海有海的能量，訓練自己的敏感度，身體就可以很清楚地感知到。我們平時太忙以致於都麻木了。

我們平常的呼吸很淺，特別是女性。一般早上醒來尚未下床時是很好的練習機會。手先放在小腹上，從吐氣開始，小腹壓下去，吸氣的時候，把手頂出來。躺著練比坐著時容易，可以將好幾本厚重的書放在腹部練，這樣可增強腹肌。吸氣時吸得很足，以致於在呼吸之間有所停頓，並不是憋氣，呼吸慢到像是沒有呼吸一樣的。

吸大地之氣

你可以前三個手指頭並在一起，作深呼吸，重點是在吸氣之後的停頓，一呼一吸間的停頓你可以吸大地之氣，宇宙之氣，自然之氣，也吸樹木之氣，所有這些你想吸的好氣，在停頓的時候它會進來。吸足氣，想像這氣到全身，吸氣時也許數四下、停頓八下、呼氣八下、再停頓八下，觀想你將宇宙最圓滿、最清淨的氣吸進來；把污濁之氣吐出來，污濁之氣也不要亂吐，吐到地球裡面做堆肥。早上練精神會很好，晚上練則恐怕會睡不著。平常很自然地連坐著時也這麼呼吸，好處是很自然會放鬆，如果老是好像氣不夠，身體則處在緊張狀態，能這麼呼吸的話，也緊張不起來，小腹放鬆，生氣也氣不起來。這麼呼吸是因爲我們有很多情緒積壓在腹部。爲什麼人會憋氣，當你有些情緒不敢去感受，譬如像恐懼時，你會馬上憋氣，如果你深呼吸的話，就可以體會此恐懼了。又好比你正要哭出來的時候，媽媽說不能哭，你就會馬上憋氣，如此才能忍住淚水，不能發脾氣了。所以我們有很多情緒積在腹部，如果要化解，也要從這裡開始。

你可以前三個手指頭並在一起作深呼吸，在一呼一吸之間的停頓時可以吸到自然之氣，梵文叫「prana」。對肉身而言，大地之氣的影響最大，生病的人可以躺下來直接與大地接觸，吸取大地之氣。由於現代人住在城市裡，與大自然絕緣，一般穿的是橡皮底的鞋，開的是橡皮輪的車，住的是高樓大廈，這都使我們與大地絕了緣，尤其有大量建築之後，這大地之氣就被破壞了。

從大自然中得到滋養

以中國建築來講就是破壞了原來的風水，也就是大自然的能量。爲什麼以前的道士、或佛教出家的修行人，都要選擇偏遠的高山，就是藉著高山之氣，修練起來會很快，這是另一種滋養。平常講到吃，以爲吃很重要，事實上從能量上來講，吃是最低、最少的能量來源。眞正大部分的能量是來自太陽、月亮、大地、樹木，所以當你早上去散步時，你已經在吃了。看到很美的環境、日出、夕陽、聽到美好的聲音、聞到草香，都是一種滋養，這種滋養大大超過食物能所給你的。爲什麼有人練功練到後來可以不吃，其實不是不吃，而是從其他方面吃。有些病人即使是吃得很嚴格，身體仍舊不好，眞正的原因是大地之氣被破壞了，從大自然中得不到滋養，僅靠那一點點食物其實是很少的。這是大自然給我們的禮物，我們不會用，也沒有珍惜，殊不知當我們沒有這些的時候，想要維持健康會相當地辛苦。身體不行的人，搬離城市，找偏遠的地方住，則會恢復得很快，差別就在這。

「走」出健康

在大自然中步行是一個簡易的養生之道。有不可思議的功效。上海一位吳老先生曾寫了一首詩給一個愛吃補藥的年輕朋友：

走出健康

藥補不如食補
食補不如動補
補身莫忘補心
行善最樂最補

第二句話就強調動補的重要，在步行中身心都會得到滋養，人的身體是需要動的，在沒有機器代步的時代，一般人每天都步行很多時間，身體的消化排泄系統、呼吸系統、循環系統、肌肉骨骼組織都需步行來維持健康，尤其是生活在空氣、噪音污染的人們，如果能定時抽出時間在空氣清新、環境優美的大自然中步行更重要。

如果條件許可，每天或每星期兩三次的步行，二十分鐘到一小時，也可以在每年的度假期間每天在大自然中步行一兩小時，有病的人不妨抽空去步行療養，一星期到十天左右。步行時身穿棉布衣服，腳穿平底鞋子，帶瓶乾淨的水、手帕和頂遮陽帽，輕鬆自然地走，速度視個人體力而定，以漸進式最好。開始時短距離，慢慢增加，不要過累，如果流汗，走完回來洗個澡，換件乾淨的衣服就好。如能步行在有坡度的路上，可加深肺活量和心臟的運動。

步行淨心

除了身體受益，步行有清醒腦子、提高精神的作用，讓心情輕鬆愉快，對於情緒處在低潮的人有益。如果在步行中將意念放在呼吸上，或注意自己身體的感受，也是一種清掃心念、淨心、靜心的方法，也可同時積極地將關愛和祝福的心念送給大自然及大自然中的生命。步行懺悔即是利用這簡單的方法清掃心念，在上坡的時候想到自己所做的一切傷害自己或他人的事，在下坡時祝福這些人。

實踐動補

運動對身體的滋補是非常重要的。血液循環、氧氣的吸取、肺活量都會得到改善，對於排除身體的污染，譬如農藥等，亦需要藉運動出汗。

何瑞德（Dr. Arthur Hubbard）教授從二十多歲開始，每年定期登山兩個星期左右，已有三十年以上的經驗。由於他平常在化學實驗室工作吸進很多污染物，因此藉此讓大自然淨化洗滌，身體也一年比一年好。比他年輕三十歲的人跟他登山都氣喘如牛，但他卻輕輕鬆鬆面不改色。除了每年爬山，每天還一定慢跑十分鐘以上維持體力。除此，他素食也二十多年，眼見比他年輕的人早已得心臟病、癌症，深深慶幸自己的健康生活方式，也更想分享自己健康的心得。

一般都市人對大自然多少有些無名的恐懼，怕蛇、熊、蟲子等等，與大自然形成一個敵對的態度。當我們眞正去認識大自然時會發現它的柔和、溫馴。

何教授談他自己多年前的一個經驗，當他走到遠離人群的高山來到一個大草地時，他在那兒紮營。附近有幾隻帶著角的麋鹿故意到他附近吃草，邊吃邊好奇的看著他，草地是那樣地大，但牠們偏偏要在他附近吃，沒有一點惡意。他才發覺沒有接觸到人類的動物對人是沒有恐懼的，此時他爲人類感到困窘，因爲他想到以狩獵爲樂的人買槍，開了車子到大自然中任意射殺這些溫馴的動物，還很得意，實在很難理解！另一次，他獨自在山中行走時，一隻大野熊走到他附近，跟著他走了近一個鐘頭，像隻狗跟著主人一樣，不時地站起來看看他，好像是徵求他的許可。後來找到地上有好吃的便不再跟隨。以下摘自何瑞德教授在文章中所舉的五個重點：

爲什麼要親近大自然？

1.淨化作用：化學的污染可以經過大自然的洗滌淨除。我們現在有一千多萬種以上的化學產品，這些都在我們的食物、日用品環境中，對身體的壓力是很大的。去到完全沒有污染的環境時，身體會排除這些污染物。

生活在城市裡，無形中會有許多的緊張與壓力，在大自然中也能淨化這些情緒上的污染，特別是氣憤不平的心。負面的情緒是很沉重的，因此要爬到山頂，必須要將這些負擔放下，不然爬不上去。

2.鍛鍊作用：登山步行是最好的運動，經過長時間的鍛鍊，肌肉會發達，血液循環、肺活量都會改善。一旦身體強壯，平常會容易維持運動的習慣，更加強身體的健康。

3. 認識自己：登山步行是一個很踏實的活動，沒有任何可虛假吹噓的。一個人不能藉著好口才爬上山，必須腳踏實地的一步步爬上去。這過程中會去掉我們的面具和自我的欺瞞，讓我們真誠善良的本質顯現。同時當我們能克服登山的各種考驗，會增加我們面對未來考驗的自信心。

經過一步步的鍛鍊，身體會恢復青春活力，讓我們重回年輕時代。在大自然中會留下很多美好的回憶。就是回到城市還可回味無窮，好比記得山上看星星是是多麼明亮，像隨手可摘似的。

4. 認識大自然：我們人類是大自然中的一份子，認識和了解大自然也就是了解自己。如果我們知道自己和大自然的關係，才不會產生大自然與自己敵對的態度，也不會造成今日因破壞大自然而面臨生存危機的局面。

親近大自然更讓我們欣賞和感恩大自然。有享受過森林浴的甜美，見到森林被砍伐的心情，與從未見過森林的人是不一樣的。當我們與大自然建立了友情，也會跟著信賴大自然。

如何親近大自然？

選擇地方

1. **乾淨的地方**：這指空氣和水源。沒有人住、沒有污染和安靜的地方。

2. **舒適的地方**：這指沒有蚊蟲、較乾燥的地方，能預測氣候，也較溫暖的地方。

3. **風景美好**：選擇的地方要有風景視野或樹林的地方。也許有小路，也許是曠野。

4. **從附近的地方開始**：最好的開始是住家附近的自然公園或國家公園。等到熟悉在自然中步行，再選擇需揹背包和露營設備較遠的地方。

時間的選擇

時間上的選擇以十天左右爲宜，要三天的步行，遠離文明區三至四天在大自然環境中享受，再三天走回到啓程。最好一年能一次，時間也選大部分晴天的季節，避免雨季、下雪的時候或狂風暴雨，同樣選時間方便的時候，假期或工作輕鬆時，以免操心。

跟誰去？

選擇登山的伴侶是很重要的，不然走到一半才發現伴侶體力不行或很難相處則會很掃興，以下伴侶的條件有四：

1.**體力能夠勝任登山的人**，要不然同伴走了第一天就體力不支，那其他的人也得取消登山的計劃。

2.**登山伴侶必須是有心並志同道合的**，以免到時候嫌這嫌那，嫌石頭太硬、灰塵太多、沒有熱水洗澡、沒有床睡等等，會掃大家的興。

3.**同伴最好會為他人著想而非自私自利**，當生活在大自然中，遠離人群需互相幫助照顧，而不是爲自己想，這樣才能大家愉快地相處。

4.**同伴的行裝齊備**，如裝備不足和鞋子不舒服等等，會影響一同登山的人。

如何實踐？

1.**裝備**：登山的工具要輕便耐勞，可靠合適；輕便尤其重要，因爲所有重量都在自己背上，不必要的重量從山下到山上會消耗很多的能量。舉例來說，帶三十公克的牙刷爬五千呎相當於舉重三百磅，如果多帶一磅東西爬同樣高度相當是五千磅或抬一輛車離地一呎的能量。不要小看一點重量，剛開始登山的人最常犯的錯誤就是帶的東西太多，如果去登山店買整套裝備，會像抬鋼琴一樣爬不上去。以下是爬山露營所需——遮雨的塑膠布、輕便的爐子（用小瓶瓦斯）、小鍋子、乾糧和乾糧袋、繩子、地圖、指南針、水瓶、海綿睡墊、睡袋、（輕巧的）帳篷、手電筒、照相機、點火機、兩件換洗衣服、內衣褲加上長袖襯衫和長褲子、二雙襪子、登山鞋、遮陽帽、手帕、安全別針。

2.乾糧：乾糧爲健康素食，都選乾燥過的食物，一天約需四分之三磅乾糧，七天的食物則不到六磅，整個背包加起來二十多磅；如果去二星期則另加重六磅。當然，因爲每天吃掉一些食物，愈走會愈輕。

以前爬山是買一些現成的爬山乾糧，但味道、營養都不是很理想。這幾年學會自己買有機蔬菜和米、麵等，用低溫脫水，味道營養都保存，只要加水即可吃，如紅蘿蔔沙拉。任何平常喜歡吃的菜都可以如此來做，一般三餐如下——早餐：麥片乾（麥片加芝麻、乾果、紅糖等烘烤）；中餐：乾果，如葡萄乾、蘋果乾、香蕉乾、芒果乾、無花果乾、杏子乾等等種類很多，七天下來不會厭煩；晚餐才停下煮熟食，每天有不同的菜色和澱粉類，糙米飯可以煮熟低溫烘乾，甚至豆類、麵類、地瓜乾、蔬菜乾，有根類、瓜類，葉類用太陽曬乾或低溫烘乾（Food Dehydrator），吃時加點水再煮，味噌也可以烘乾帶著做調味品。因爲帶的燃料有限，山上也避免燒木材，所以食物都以快熟爲要，有時看到可吃的野菜也可補充糧食，如果紮營在一個地方則可發芽。

3.野生動物：爲了避免動物偷吃食物，裝食物的袋子晚上都高高地掛在樹枝上，不放在帳篷內是怕有些動物聞著味會進來。在野外如果遇到動物，不管是狼、熊、蛇、鹿、老虎、獅子等，最重要是保持平靜友善，動作緩慢，如果因爲恐懼而跑的話，反而引起牠們的驚嚇而追過來。每個動物都有牠自然的食物，人類不屬於牠們平常的食物，所以只要不驚嚇牠們必定相安無事。在我三十年的登山經驗中，也曾遇到狼群、響尾蛇、熊、豹子、鹿等，因爲我對牠們無任何恐懼或敵意，牠們自然也對我保持距離，互不侵犯。我才發覺這些野生動物是非常溫馴的，平常電影上的鏡頭都不太眞實，新聞報導中的某些動物傷人都是很特別的例外，因爲人類先侵犯了這些動物，殘殺牠們，牠們才會對人產生恐懼而自衛性地攻擊人。

事實上在今天能找到有樹林的地方已不容易，更不用談有野生動物的地方。在接近大自然的過程中，我們想更接近時會去尋找沒有被人類破壞的自然生態，此時才可能看到一些野生動物。

總之大家在親近大自然中會得到很多益處、樂趣、智慧和愛心。

五台山八部功

一九九三年八月，琉璃光養生世界的五台山之行，讓學員們見識了八部功。這是由山上一位年過七十的老先生所傳授。他在五年間練八部功消除了各種慢性病，並且由白髮變成黑髮。八部功的特色是陰陽同時調理，頭部按摩屬陽，腳部泡熱水和按摩屬陰，兩者同時進行，效果特佳。

八部功，主要是頭上六部，腳上兩部，共八部。

頭上六部

1.乾梳頭：

十指併攏，微屈，作梳頭狀，以前額—印堂穴—直梳到脖根。梳時指尖必須接觸頭皮。但輕重要適度，頭皮以不痛爲止。

2.按摩頭：

用兩手掌，主要用勞宮穴按摩頭皮，方法同乾梳頭，不過要稍用些力。

3.搓脖後穴位：

翳風雙穴、完骨雙穴、風池雙穴、天柱雙穴、啞門穴、風府穴、玉枕雙穴、腦戶穴等十三個穴位。手在脖後搓，右手搓右方，左手搓左方。

4. 搓耳朵：

這是一種全息療法。全身各部位在耳朵上都有反應點。故搓耳朵相當於全身按摩。有強腎之功。搓耳朵時用兩手掌上下搓，哪處有痛點，說明哪處的相應部位有病變，應重點搓以刺激耳部有關部位來防治病變。

5. 搓太陽穴：

用左右兩手掌從太陽穴上方一寸處，往下一直搓到臉下面。

6. 乾洗臉：

雙手併攏，用兩手掌從百會穴一直搓到臉下面，古時叫注顏術。

腳上兩部

7. 燙腳：

每晚睡前用開水燙腳。剛開始水太熱，可慢慢用雙腳沾水，等水溫能容下腳時，將雙腳全部泡在水中，同時即作頭上六部功。六部功作完時，水也快涼了。這時將腳拿出來，但千萬不能擦乾，必須讓它晾乾。

8.搓湧泉：

（即腳心）燙完腳自乾後，端坐椅上或與小腿等高的床、凳上。全身放鬆，然後先抬起左腿（女則先右腿），將小腿放在右腿大腿上，腳心朝外，腳尖朝前，左手扶住左腿腕，用右手手掌（勞宮穴），搓左腳湧泉穴一五〇〇下（約十五分鐘）。搓完後放下左腳。再用此法搓右腳心一五〇〇下。兩腳共用三十分鐘，然後睡覺。

以上八部健康長壽功，除搓腳心每次一五〇〇下外，其餘七部，每次五十下。第七部的燙腳，早晨可省卻，換成搓小腿，每次也是五十下。

八部功爲什麼只意注意兩頭？即「頭部」和「腳部」。不注意「五臟」和「六腑」？這個問題，應從人的生理上研究。

關於頭部

因爲頭部是屬於人體的主宰，爲「諸陽所會」與「百脈相通」。中醫講「髮爲血之餘」，「腎者，其華在髮」。說明頭髮和腎精與血液密切相關。由於精血關係到整個機體，所以「髮宜常梳」不僅僅是局部作用，而是「牽一髮而動全身」。所以要想強身健體，特別是要想保持一頭黑髮，必須梳通頭部經絡，促進頭部的血液循環，調節中樞神經系統，增加頭髮根部的血流量，促進頭髮生長，改善黑色素細胞的活性。增加黑色素細胞的數量，使頭髮常年烏黑發亮。

頭部的六部功，除頭髮對人的生命有這樣重要的作用外，其餘按摩頭部、搓脖子、搓耳朵、搓太陽穴、乾洗臉等，它們的經絡，都是通向全身。「肝開竅于目」、「腎開竅于耳」、「心開竅于舌」、「肺開竅于鼻」、「脾開竅于唇」等。特別是耳朵，全身各部位，都有它的反應點。

關於腳部

中國有句老話「富人吃藥，窮人燙腳」，又說「富人吃人參，窮人搓腳心」。現在醫學界也普遍認爲「人之衰老始於足，足血盈，則身心健」。這是因爲人的手腳四肢，都是末稍神經，血液循環較慢。醫學上也有一句名言「通則不痛，痛則不通」。人身全憑氣血支持。「氣爲血之師，血爲氣之母」。血到氣到，那個地方氣血不通，那個地方必有病痛，「燙腳」、「搓腳心」正是加速血液循環，改善營養，促進全身健康。

根據中醫理論：常搓腳心，有補腎強身、延年益壽之功效。因爲中醫理論認爲：涌泉穴乃足少陰腎經之開穴，通足太陰脾經與足厥陰肝經。三條陰經又與全身其他經絡相連。三條陰經既通，可調整其他經絡，達到治療疾病，治療臟腑，強身健體，延年益壽的目的。

以上八部功，無論頭上六部，還是腳上兩部，都是用自己的手掌，而手上「手太陰肺經」、「手陽明大腸經」、「手少陰心經」、「手太陽小腸經」、「手厥陰心包經」、「手少陽三焦經」又與全身經絡相通。所以這「八部功」不但通了四肢和兩頭，而且通了全身。

外丹功

外丹功是張至通大師的家傳之寶，已有兩千年歷史，一九七六年首次在台灣公開傳授，在短短時間內遍佈全台灣省，許多機關都有外丹功的課程，同時也傳到東南亞各國。

一九八六年我帶十三位美國人士到台灣參加外丹功國際教師訓練一星期，住在台中體育館，那時有九個國家代表參加，在短短一星期內大家身心都有明顯的改善。外丹功一共有十二式，另加上漢引導（來自湖南馬王堆墓所挖出的氣功圖）。外丹功的特色是用手指和腳指的動作來引動「先天氣」運行全身，達到自我平衡康復的作用。

自一九八六年接受外丹功的訓練後，我有很多教導不同國籍人士的經驗，像是美國人、德國人、法國人及其他等，有時是在旅途中遇到的人，僅僅分享一兩式都有不可思議的效果，不但調整身體，還能清掃積壓的情緒。現舉幾個代表性的例子：

一、一位美國女士練功後大發脾氣，積壓的怒氣排出後，心情異常愉快。

二、一位義大利男士只學到預備式，練十五分鐘後淚流滿面，因為他父親剛過逝，工作壓力又大，練功短短時間已將情緒污染排出。

三、一位秘魯女士患有乳癌，來休士頓治療，將要回國的前一晚遇到我，我花了四十五分鐘教她幾個動作，後來聽她朋友說祕魯其他的朋友們都向她學，因爲她身爲四個孩子的母親，又有病苦，但經練功後精力充沛，健康大有改善。

四、一位西藏人跌傷了手臂，神經受損，疼痛得無法舉起手臂。開始時只能練預備式，經過六星期後，手已不痛並能舉到肩高，一年後能完全舉到頭頂上。

五、一位美國女士患有癌症，背也受傷，一天睡十四個小時，連折毛巾的力氣都沒有。第一次上課是靠手杖來的，一個月後可以和家人一起爬山幾小時，不需要任何幫忙。她康復後七、八年來一直義務性的教導外丹功和氣功，以回報重生之恩。

可先從其中兩式練起

教導外丹功的人士全球都有。如果暫時找不到，可先從其中兩式練起。我曾經請教過張大師：病重的人如果沒有時間學習十二式，可從哪兒開始？他說預備式和第十二式仙鶴步。現介紹如下：

預備式

面對東方，兩腳平行肩寬，眼睛平視遠方，全身放鬆，自然呼吸，雙手垂下，食指上翹，靜待「先天氣」帶動手臂抖動。剛開始也許氣不來，可以用手腕帶動整個手臂抖動，開始時練十分鐘，再增加到三十分鐘。一般在一個月內手臂會自己抖動。

練完功後切記不要立刻洗手、喝冷水或吃東西，至少等三十分鐘。最好的練功時間是早上、傍晚或晚上，一天一兩次或多次均可。

預備式對肝特別好，對癌症病人和中風的人也很有益。

仙鶴步（第十二式）

前進：兩腳兩步寬平行，身體半下蹲，雙手垂放兩側，掌心向後，平視遠方。由右腳開始向前跨步，由膝蓋上提，兩腳保持兩步寬距離，好似在鐵道上走一樣，腳落地時也保持平行。從走九步開始（各腳一次就算一步），增加到十八或其他九的倍數，前進最末一步右腳著地（九步的偶數倍時，可加一步，讓右腳爲最後一步）。

後退：將身體的重心移到右腳，掌心改向前，兩腳距離仍是兩步寬。由左腳向後伸直，移半步，將身體重心移到左腳，右腳向後移半步。後退的步數與前進的步數一樣，最後一步爲左腳著地。

仙鶴步有開啓海底輪的作用，對身體的康復尤其重要。走的步數可多到上百次。

尿療法：內服外用的最佳良藥

尿是體內循環的血液，經由腎臟過濾，輸送到膀胱儲存，然後排出體外。正常的尿是淡黃色或淺棕色，百分之九十六是水，其他有尿素、鹽、鉀、磷酸、硫酸等等，在不正常的情形下會有酮類、蛋白質、膽汁、紅血球、膿、葡萄糖、脂肪、痰等等，味道和顏色都能反應出不正常現象，因此醫生檢查身體時一定取尿作爲診斷的資訊之一。

尿是經過消化系統消化過後的成份，進入血液循環，再經過腎臟所分泌出來的，因此它的成份與血清相近，雖份量不同，除了礦物質、維他命外，還有各種荷爾蒙。因爲是消化後的產品，與飲食、喝水都有密切的關係，前一天的三餐可以在第二天早上的尿中嚐出來，尿可以立刻反映出飲食消化後的酸甜苦辛鹹。吃糖過多或糖尿病患者的尿是甜的，鹽吃太多或腎功能減退尿則是鹹的，高蛋白質的食物和澱粉類的食品吃過多尿是酸的，肝功能差時尿也是酸的，心臟功能差時尿味是苦的，肺部弱時尿是辛的。

中外醫生都用尿味及其顏色來幫助診斷，中醫的「望、聞、問、切」在古時候包括嚐病人的尿，個人藉著尿味可以了解自己的飲食習慣所製造出的血液品質，如果對自己的尿味掩鼻難忍，則需反省一下自己吃進去的食物是什麼腐臭東西，及是否需要重新調整自己的飲食？

生命之水

尿除了有助於了解自己身體和飲食狀況，也是自我康復的一個奇妙偏方。印度早在四千年前即有尿療法的記載，印度前首相德塞實行尿療法三十年，直到九十五歲高齡仍很健康，他很多年前就公開他的養生秘方。在中國尿療法也有幾千年的歷史，以童尿為駐顏和返老還童的方法；在歐洲也有採用，義大利的砌磚工人在做工之前先用一泡尿塗在手上以保護皮膚，英國的阿母斯壯先生在《生命之水》（The Water of Life）中引用十九世紀初出版的一本書中介紹尿療法的文字，現譯如下：

「一個很好、普及，治療一切外在和內在毛病的方法是：每早喝你自己的水九天，能對治壞血病，使身體輕盈和愉快。」

「如此喝可對治水腫和黃膽病，乘水暖時洗耳朵也對治耳聾、耳鳴和其他的耳病。」

「用你自己的水洗眼睛能治眼病，使視力增強、清晰。」

「用它洗手和擦手能除麻木、裂痕、傷痛，使關節柔軟。」

「用它清洗任何傷口是很好的。」

「用它洗癢的地方使它不癢。」

「洗肛門對治痔瘡和其他傷痛。」

另外在一六九五年出版的老書《Salmon's English Physician》中提到尿療法：「外用有清潔、消毒、溶解作用，內服可以治肝、腸、膽的阻塞和對治水腫、黃膽、女性閉經和黑死病及一切惡性感染、發燒。外用淨化柔軟皮膚，也淨化康復傷口，包括毒器所造成的，也對治頭皮，擦在脈搏上能降燒。」

在二十世紀，中外都繼續肯定尿療法不可思議的功效，在日本、香港、台灣和美國尤其有不少著作介紹實際療效。

喝你自己水槽的水

英國的阿母斯壯先生小時曾親自體驗到尿療法在幾小時內消蜜蜂叮的腫，

成年之後得了肺癆病，後加重到糖尿病、失眠、脾氣暴燥、神精衰弱，拖了兩年在無助時突然想起聖經上 Proverbs 有句「喝你自己水槽的水」。他聯想到有位女孩得白喉，喝她自己的尿後三天即好，這時他開始以自己的尿和水斷食，並且將尿擦在頭、臉、頸部和腳板，他一共斷食四十五天，每天以尿擦身是很重要的，當他不擦尿時心臟跳動速度很快（因爲沒有進食），但如果用尿擦身則心跳立刻正常。這之後他體重一百四十磅，精力充沛，看起來年輕十幾歲，皮膚像小女孩一樣，直到他寫書（六十多歲）仍繼續尿療法，而且看起來比一般人年輕。他親身康復的經驗帶給很多醫生已放棄的病人鼓舞，其中一個例子是壞癰。醫生建議必須切除腿或手，在用尿療法和清水斷食幾天內就有改善，兩星期內病情完全康復，他給患者再一星期的葡萄、香蕉等清淡食物後才恢復正常食物；正常食物是指天然食物，沒有罐頭或加工食品。另外有腫瘤、腎臟病（往往醫生說只有兩天的壽命）、心臟病、發燒、瘧疾、性病、燒傷、傷風感冒等等，都是由尿和清水斷食、尿擦身、和尿濕布的方法治好。

重病患者如已無法排尿則先借喝他人的尿及借他人的尿敷身，外敷用的尿可以用「陳」尿，即儲存在玻璃瓶的尿。重病患者往往需要尿療法配合清水斷食十八至四十多天才能復食，這段時間喝尿再加上尿敷皮膚，復食時也可用一個橘子的汁，之後一星期只吃水果，如葡萄、香蕉和清蒸的菜。

尿素的醫療作用

介紹尿療法的中文書籍大致來自日本的資料，同樣的也印證英國的經驗。美國最近推薦尿療法的書引用許多醫學上對尿素之醫療作用的文獻（Your Own Perfect Medicine, Martha Christy）。這份資料強調尿療法要有效，飲食要以植物性的食物爲主，不然尿會過酸。同時少量的尿也有治病的療效，少至幾滴，先從少量漸次增加到四分之一杯或更多，一般早上的第一泡尿最好，但一天的尿都可使用。

尿療法的重點

一、內服者取尿的中斷，頭尾不要，趁熱喝下四分之一杯到一杯、或開始幾滴，如開始不習慣，可加冰塊或檸檬汁，也有人加糖蜜給小孩喝，仍有效果。

二、重病患者或久病患者可能暫時有病況惡化現象，是好轉的反應。

三、外敷可用新鮮或陳尿，以臉部、頭頸和腳爲主，另小腹與患處（全身都可）如用尿濕布保持布濕，敷一小時或更久。

四、用尿漱口對喉嚨、牙齒都有好處。

五、洗髮前可用尿按摩頭皮，可去頭皮屑和防止脫髮。

六、蟲叮或蛇咬，尿內服和外敷有消毒作用。

七、斷食期間只喝清水，如果不斷食，飲食要素食。

冷暖的平衡

現代的母親經常有無奈感，孩子生病帶去看醫生，帶回來的是更多的藥，但沒有任何護理常識，一肚子的疑問也不知向哪兒詢問。為了滿足這些需求，沃道夫學校特邀史丹勒博士所創立的醫療系統護士來講家庭保健常識，Wiep De Vries是在歐洲受的訓練，來美國洛杉磯後，積極地介紹這整套保健觀念和方法，雖然她自己不是母親，但她常常傾聽母親們的心聲，如「我的孩子常說耳朵會流水、會痛」、「我的孩子感冒常拖幾星期」、「我的孩子肚子常痛」等。以前的孩子發燒一、兩天就好了，現在的兒童常常燒發不起來，病都變成慢性病，問題出在哪兒？

要認識發燒和慢性病的不同，必須要先介紹史丹勒博士對人體的認識。人分四個層面，即肉體、生命體（氣體）、星芒體（情感）和自我意識體（思想），肉體是靠生命體滋養，人生病都是因為生命體受了干擾，也許是外在環境，也許是星芒體（情緒），也許是自我意識體（錯誤的信念想法）。

肉體又可分三個組織系統，即頭部：神經系統、眼、耳、鼻、舌、觸覺等感官系統；胸部：韻律系統（呼吸和心臟跳動）及腹部：新陳代謝（消化、排泄）和四肢。

頭部主思考，胸部則是感情、感受，腹部是意志力或主動力，健康是三個組織系統的平衡。如果頭部過度活躍或腹部過度活躍就容易生病，頭部是涼性，所引起的病是硬化凝結性的慢性病；腹部是熱性，所引起的病是發炎或傳染性的病。

現代人多「涼」性病

現代人大多數是偏「涼」，因為神經系統和五官的過度刺激，好比電視、電腦、噪音、農藥、化學污染、空氣污染、壓力、忙碌、看書、飲食味太厚太濃、蛋白質攝取過量、吃糖等，所引起的「涼」性病是血管硬化、關節風濕、感冒、流鼻涕、耳朵發炎流水、癌症和糖尿病等等；因腹部過熱的毛病，如發炎性的病，則很少見。

在二十世紀以前，傳染性的病是死亡的主要原因，然後就一直下降，到第二次世界大戰之後，傳染性病的死亡率已降到很低，相對的，慢性病一直在增加中。一般人也許會以為，是因為防疫針的注射才使死亡率下降，事實上，幾乎所有的傳染病、百日咳、痲疹、白喉的死亡率，早在防疫針注射之前就已降得很低。英國在七〇年代因爲白喉防疫針的副作用太壞，停止注射白喉防疫針，雖然病例大大增加，但死亡率仍然和注射防疫針時一樣的低，可見兒童們體質上的抵抗力普遍提高。Sagan醫生根據統計學的資料，認爲是教育水準提高有直接的關係（資料請參看《The Health of Nations》／Leonard A. Sagan, Basic Books, Inc., 1987），防疫針只能給予短暫的免疫，自然生病所產生的抗體才能維持一生。因爲防疫針的引用，傳染病在十幾歲的孩子和成人中例子愈來愈多，因此沃道夫學校不主張防疫針的注射，也不鼓勵用抗生素，因爲這些都降低兒童本身的抵抗力，後遺症太多。

以下是一些日常可實用的護理方法，來調整頭和腹部冷暖的不平衡。

頭部的毛病

1.耳朵疼痛、流水：

洋蔥切兩片，用薄布包著，貼耳朵和耳後，然後用帽子或圍巾固定位子，保留六小時。洋蔥含有豐富的硫磺，是熱性的，可調過冷的症狀。任何有痰凝結的部位，如喉嚨或胸部，也可用切碎的洋蔥包在布裡，貼在患部，有化痰的作用。

2.流鼻涕、鼻子不通：

可吸熱檸檬水蒸氣。一個檸檬切半，切面平放在大碗中，沖進熱開水，在水中用刀子將檸檬劃開，將汁壓擠？（用瓶子或罐頭都可），人坐在椅子上，腳底踩在熱水袋上頭，低著吸蒸氣，頭部再用毛巾蓋著，大概十來分鐘即可。檸檬有收的功效，發燒的時候可以腳泡檸檬熱水，疲倦時更好，一桶溫熱水放一個檸檬（皮和汁）水到膝蓋。

3.慢性鼻竇炎：

山葵或薑剁成醬（或乾粉調成糊狀），放在布上摺疊起來，貼在眼睛下方鼻樑兩邊，眼睛用一小塊布塗一點膏（非石油製品的油膏，Non petroleum jelly）蓋著保護。讓病人自己拿著，等皮膚上有暖意就拿掉，一天只貼一次。如果用粉替代，二茶匙調成糊狀，放在一小塊布上包起貼在鼻竇區。

腹部的毛病

肚痛、經痛、肝功能不好、腎寒冷等

可用以下的熱敷法：

材料：一小塊手帕大小的布、一條長的洗臉巾、一塊毛料（長寬與圍巾差不多）、甘菊花(Chamomile)一小把、熱開水和兩個熱水袋。

作法：布捲起來放在長條洗臉巾內再捲起。熱開水泡甘菊花一分鐘，將捲好的毛巾浸在甘菊花茶水中，再扭乾（毛巾留乾的兩頭以方便拿），打開毛巾取出溼布，放在腹部（或肝區）然後用毛布蓋上，上面再放熱水袋，被蓋著全身，腳部也放熱水袋，躺三十分鐘（十五分鐘也可），如睡著了也無妨。

一般人肝功能都不很好，這是因爲環境污染的關係。肝應是最暖的內臟。歐洲有醫生建議每個人都可每天熱敷肝部，如果早上有慢性的鼻塞，都是因爲肝功能差。還可喝一些草葉茶，如蒲公英、牛蒡、西洋蓍草(Yarrow)。

用甘菊茶熱敷的原因是，甘菊是愛陽光的花，對身體有促暖和光的作用。中國草藥中，菊花是養肝明目，有相類似的作用。

備註：有位七十多歲的女士長期不停的流鼻水，衛生紙是整包整包地用。我也建議她晚上看書時腳放在熱水袋上，第二天她高興地告訴我一天只擦一次鼻涕了。也許，坐辦公室使用電腦的人不妨試試，用熱水袋保暖腳部，熱水袋裝滿一半，將空氣擠出，熱氣保持久些。

預防心血管硬化阻塞和心臟病

血管硬化阻塞是造成心臟病的根本原因。而這是美國和工業國家的第一死亡原因。每年工業界社會失去無數中年英才，家庭失去父親、丈夫。要預防心臟病就要預防血管硬化。目前連十歲小孩甚至於出生嬰孩已有血管硬化現象。所以不要以爲中年以上才應該注意這個問題。

血管失去彈性、開始硬化有以下的現象

1. 飽餐之後有特別疲倦感
2. 健忘於日常所熟悉的事
3. 腦子無法有創新思路或接受新思想
4. 長期感到冷、弱，或腳麻發熱
5. 頭痛
6. 長期失眠
7. 心口緊

8. 肩痛
9. 走路提東西氣喘
10. 走路時小腿痛，停下休息則好
11. 早上睡醒伸腰，胸骨下會刺痛，每晨如此
12. 腳踝或腳上有小的傷口
13. 頭昏耳鳴，突然失聰
14. 視覺不清或暗淡

與血管硬化有關的其他毛病

嚴重的血管硬化會造成走路短程腳會痛。其他毛病也可能與血管硬化有關，也許血液的氧氣不能充分補充某器官，這些包括：

1. 氣喘
2. 心臟毛病
3. 高血壓
4. 記憶不好
5. 失眠

6. 失聰
7. 淋巴系統毛病
8. 腿痛
9. 瞎眼
10. 肝毛病
11. 腎臟毛病
12. 糖尿病
13. 攝護腺毛病
14. 中風

血管硬化的原因

除此，觀察眼瞳外圈，有白圈即有血管硬化；耳垂有紋路或星紋都表示心臟周圍的血管有硬化現象。血管硬化的原因有很多，以下提供十點：

1. 脂肪過多
2. 飲水、食物和空氣過多的化學藥品污染
3. 空氣和食物有金屬污染

4. 氣積存在體內
5. 吃糖過重（一次五茶匙以上的糖會立刻使血液凝結）
6. 太多的環境干擾和壓力
7. 少運動
8. 吸菸
9. 避孕藥的服用
10. 噪音

血管硬化最主要的原因是動物性食物的攝取，如肉類、蛋、和牛奶。肉食的美國男士死於心臟病的可能性是五〇%，改爲全素的（不吃蛋和牛奶），死亡率降到四%。Dr. Dean Ornish在他十幾年的實驗中肯定證明，要治療心臟病最有效的方法就是素食和放鬆（參看Dr. Dean Ornish的《Program for Reversing Heart Disease》）。除此之外，戒菸、避免噪音、少吃糖和鹽，多吃高鉀的蔬果、早晚可用一至三茶匙的蘋果醋(Apple Cider Vinegar)加水喝，注意選用自然釀造沒有加熱的有機蘋果醋（Raw Organic Apple Cider Vinegar）。

Hanna's Herb Shop有提供用草藥所做的配方(Circu-Flow)，可在一個月之內清除血管積存的東西，很多美國人在服用Circu-Flow一個月之後，避免心臟手術。Circu-Flow呈丸狀，內含有山楂、木賊草、Quaw Bark，飯前服用一天三次，每次三粒，同時配兩湯匙的蘆薈汁（Aloe Vera Juice）。（Hanna's Herb Shop: 1-800-206-6722或303-443-0755）。

採用一星期斷食一天，以水果或清水加一點檸檬汁、蘋果醋（每杯水加一茶匙）爲主，會加速血管的清掃。

其他常見慢性病的療法

糖尿病

這種病是由於胰島素分泌不夠，因而使血糖過高所致，如無適當治療，到後期會視力減退、傷口不易癒合，甚至手、腳指潰爛。糖尿病大都從消化系統的衰弱開始，因此第一步就是要多吃容易消化的食物，平常所介紹的食物都在此範圍之內，少吃油膩、精製的糕餅、甜點等，多吃蔬菜、水果，含鉀量高的蔬菜、水果尤其能增加胰島素的分泌。

高血壓

高血壓最常見的一種是由於食鹽過多，如果改吃含鉀量多的蔬果則能降低血壓；另一原因是腎功能失調，或負擔太重。此外，蛋白質攝取過量和精神壓力也會造成血壓過高。

過敏（包括皮膚和呼吸系統）

過敏的原因有二，一是維他命B不足；一是礦物質不足。維他命B的來源有酵母粉、芽菜等；礦物質可從糖蜜、全麩穀類(Whole grains)或海菜類來補充。

風濕

風濕的毛病可由補充礦物質而獲得改善。在美國有服用苜蓿製的丸片和大麥苗粉治風濕的報告，這兩種食物都含有豐富的礦物質和微量元素。

癌症

在癌症的食療上，灌腸扮演很重要的角色，因爲它有排毒的作用，咖啡灌腸或小麥草汁灌腸都可以。詳見《身心靈整體健康》一書。

青春痘、皮膚上的紅疹斑點等

皮膚是排泄系統之一，如果大腸或肺的排泄能力不足，則殘毒會從皮膚排出，新陳代謝強的人才能從皮膚發出來，有時氣太旺也有這種現象。如果要治皮膚上的毛病，可用新鮮檸檬汁或麥片磨粉調的糊來外敷；新鮮檸檬汁直接滴在皮膚上，如果皮膚騷癢，則麥片粉漿較有效。飲食上除了減少油膩和甜食外，可多喝煮大麥（Barley，曬乾的大麥）的水，英國王室常用這種方法保持皮膚的細嫩光滑。通常在改善飲食一年後，以前身體所累積的毒會從皮膚排出來，這是正常的。

發燒頭痛

一般人平常總免不了會有發燒或頭痛的現象，如果這是因爲飲食過油或食物不新鮮而引起的，可先用咖啡灌腸，然後喝加了檸檬汁的溫水，以促進毒素的排出。

腹瀉

偶爾的腹瀉通常是受了涼或吃壞了東西，這可先用咖啡灌腸，再喝麥片稀粥；如果是習慣性的，持續瀉一星期到幾個月，則可能是空氣污染所引起的。因爲大腸與肺從經絡學上講是相連的，這時候除了少出門，另外就是多喝回春水，促進排毒作用，補充友善細菌也有幫助；北美黃連粉則能對治菌毒感染的腹瀉。

泡油澡

油澡是將植物油中具強大治療之內含物帶進入皮膚，對加強生命力（氣體）及新陳代謝是非常有用之療法。

油澡對人體構造有暖化、加強及放鬆的作用。溫暖的油澡帶給皮膚最高的血液循環，油經皮膚進入體內也可在血液中測出。

人類智慧的養生寶庫

油澡來自人類智慧學的養生寶庫，對慢性病，如糖尿病、腫瘤和一些硬化病特別有益，對手腳冰冷，睡眠不好的情況也有助益。我第一次試用是在馬來西亞之行時，因爲出外爬山淋雨，受了涼，腰部有些酸痛，泡了油澡之後身體立刻暖起來，腰也不酸痛了。後來介紹給一些失眠的人也有奇效。

將一茶匙或一瓶蓋滿的油加入裝有三分之二滿溫水的瓶內（二杯或四杯容量），強烈搖動三十至六十秒，然後倒入澡缸，沖洗餘油。用手在水中畫「∞」字形，混合均勻。整個水面上應浮有薄薄均勻一層的油滴，絕對避免任何肥皂或洗髮精，以免干擾油層。任何食用油都可以，芝麻油、橄欖油、葵花子油都很好。

油澡應該是舒適的溫水，不要太熱。成人一次可泡二十分鐘，小孩約十分鐘。泡油澡的時間最好有規律性，每次於同一個時間泡。身體應完全浸入，放鬆及享受！如有需要，當水變涼時，可加熱來保溫，但不要讓水位高過澡缸水位的溢滿點，以免油流失。

泡完澡後，站起來滴水，然後很快地披上大毛巾或浴衣，頭部也要用一條毛巾包住。不要擦皮膚，讓油繼續從毛孔吸入體內。要避免受涼，很快地躺在蓋有毛巾的床上，蓋上溫暖的被單約十至二十分鐘，直至身體完全乾燥。泡澡後休息是非常重要，以達到泡油澡之最高療效。

至於小孩子，大人可坐在床邊講些故事使小孩平靜，直至油分完全吸收，身體乾了之後再穿上睡衣。小孩應該穿棉織長袖上衣與長褲睡覺。

在睡前試試看，一星期做二到五次的油澡，結果會是你所意料不到的。

泡營養澡

用在久病虛弱或營養無法吸收的情況，特別是小孩病後體弱時可用。方法是：將一杯牛奶、一個雞蛋、一個新鮮的檸檬壓汁（不要檸檬皮），混合好，放進澡盆的溫水裡混好，泡十五分鐘左右。如果是幼小的孩子可從五分鐘開始，慢慢增加到十五到二十分鐘。泡完後不要沖洗，擦乾穿好衣服，躺在床上半個鐘頭休息一下，如此連續泡七天。

有位住東岸的人士久病虛弱，平常大部分的食物都吃不下，在泡過營養澡之後胃口大開，身體原有的病痛都改善了，去醫院重新檢查時，醫生都很驚訝。

牙齒的保健

幾乎所有人都有牙齦流血的毛病，這被許多醫生專家視爲「正常」的現象。事實上，所謂的「正常」只暗示大部分人皆如是，但並不表示流血是「健康」的。調查顯示，十三歲以上的美國人，九成以上有牙周病，這包括牙齦、牙床疼痛的齒肉炎、口腔炎、牙齦腹漏、齒根膜炎等等。如僅僅照一般刷牙方式，則九成以上的人將因牙周病而失去大部分的牙齒。口腔能否保持健康，是與對口腔清潔的認知及是否確切實行清潔程序成正比。

牙齦疾病的徵兆

一般人信任的是X光、昂貴的儀器、專業人才……以爲需要仰賴他們才能診斷自己是否有牙周病。事實上，刷牙流血是最明顯的預兆，牙結石、牙齒移位、鬆動、牙齦腫脹、有膿瘡……這就更嚴重，除了末期症狀出現時需要靠手術來矯正之外，其餘皆可以「吸垢技巧」(Blotting Technique)來使它恢復健康。如果自己不勤於口腔清潔的維護，則再好的牙醫也幫不了您。

牙齦疾病的成因

您或許以爲牙結石或細菌是造成牙周病的原因，其實不然。隨著牙周病的增加，導致人們濫用漱口藥水，事實上口腔內的細菌大多數是有益的。眞正形成牙周病的，是一種稱Materia Alba（或叫Mouth Dirt）的白色物質，通稱爲牙垢。牙垢並非來自食物殘渣，它其實是皮膚細胞新陳代謝結果所產生的死細胞，經由臉頰磨擦牙床，或刷牙時把它「掃」到牙溝及牙齦縫中。

皮膚細胞內有溶解體（Lysosome），內含有分解酵素，一旦細胞老化死亡，分解酵素就會產生自我分解作用。像我們拿木槌敲牛排使肉柔嫩，就是要促使分解酵素進行細胞分解；如以膠布繞指三至四星期，防止死亡細胞脫落，則表皮會變成白色如軟膏狀，這是因爲死細胞影響健康細胞而加以侵蝕所致。因爲死細胞對口腔健康影響甚鉅，所以應努力排除它。ＰＨＢ牙齦刷可以把死細胞掃地出門，這包括口腔內的上下顎、面頰內側、牙齦及舌頭都要刷掃乾淨。多年來錯誤觀念以爲飯後漱口就能維持口腔清潔，這就好比洗澡只洗手和臉一般。事實上，牙齒只占口腔十分之一面積，即使牙齒是乾淨的，仍有九成的口腔是髒的，如果能以ＰＨＢ牙齦刷的「吸垢技巧」來刷牙齦溝，並每天一次口腔大掃除，則牙周病將與您無緣。

吸垢技巧

如果拿掃地做比喻，將灰塵從地上掃到地毯上，不是件容易事，因爲污垢是藏在狹長的縫裡，牙齒與牙齦裂縫中的污垢就好比這種情形。我們觀察畫家作畫，當他們在某一處畫面用了過多的顏料時，您說他該如何處理才好？如果一筆刷下去，只會將顏料打散，破壞了畫面；這時如果他用另一支乾淨的畫筆，在顏料過多的地方點一點，以上下輕輕按壓或拍打的方式，則過多的顏料自然會被吸進乾的畫筆上，這其實是毛吸管的原理。「吸垢技巧」就是應用相同原理，由ＰＨＢ所設計的牙齦刷雖然看來與一般牙刷無異，但是它採用軟密的刷毛，具有最強的吸力，一般尼龍製或自然刷毛，都沒有這個吸性，故無法發揮毛吸管效用。

ＰＨＢ牙齦刷使用方法

最有效的方式是在刷牙之後立即使用ＰＨＢ牙齦刷，如此在刷牙時不小心被刷進牙齦縫的死細胞可以立刻吸出來。刷牙齦時，刷毛的方向是上、下輕按，所以不應有類似刷牙時所發出的聲音。同時要保持刷毛的乾淨，如此才能發揮「吸」力。刷下牙齦時，刷毛面朝地；刷上牙齦時，則朝天花板；最內一排的刷毛應該剛好落在牙齒與牙齦的接合處，所有的動作都是上下垂直的。

成功的因素：

很多人剛聽到這個方法，多少帶點懷疑，不相信會這麼簡單。但是當他們實行數週之後，都不得不同意它的方便有效。如果您不相信它，就不會花功夫去學習、去實行，也就得不到利益。所以要能發揮ＰＨＢ牙齦刷的功效，首先在身心雙方都要做好準備。心理上要了解它的原理、相信它的效用，同時以手持筆的方式來持ＰＨＢ牙齦刷，手肘輕鬆自然與肩垂直，這樣姿態正確，信心充滿，則效果益彰。

活潑的眼睛　健全的視覺

眼睛有「靈魂之窗」之稱，經由眼睛，我們表達內心的感受，也同時接受光的世界信息。

大家都希望擁有一雙健康的眼睛，然而，在這世紀，眼睛長期侷限於平面圖案，如閱讀白紙黑字、看電視及電腦，眼睛失去了看不同深度畫面的機會，自然的功能衰退，引起近視、遠視、散光、青光眼、白內障等；兒童視力衰退得愈來愈早，小學生戴眼鏡的比例在增加中。大自然的現象是「不用則退化」，某些動物如長時間生活在完全黑暗的環境，會失去視神經的功能，因爲沒有需要。

恢復眼睛的自然活動

現代人因爲很少用邊緣視線，大都是直視，因此邊緣視線普遍衰退，引起調整眼睛距離的衰退和直視用過度的壓力，引起所謂近視、遠視和青光眼。恢復眼睛的自然活動和功能是恢復視力的方法，在這世紀初，美國有位眼科醫生貝茲（Dr. William Bates, M.D, 1860～1931）無意間發現，他的一位近視的病人不經心地看牆壁時，眼球的弧度完全正常，一旦看字時，眼球就拉長，經研究發現，視力的衰退來自違反眼睛自然活動，長期下來引起壓力。他教導很多學生恢復正常視力，他的學生不斷地將這些寶貴經驗分享他人，有些是多年來戴著深度近視眼鏡，也有近盲的人在學習到眼睛的自然視力習慣後都有改善，甚至於完全不需眼鏡。現在介紹貝茲醫生的發現：

目不轉睛是不好的習慣

一、自然視力是藉著移動注意力，從局部看整體，譬如看一個椅子，不是一下子全部看清楚，而是從清楚的一點開始快速的轉動視線，也許是椅背到椅座到椅腳，如果想一下全部看清楚會看得模糊，並且養成「目不轉睛」的不好習慣。

二、眼睛應是經常眨動的，這有保持濕度的功效，也避免眼睛呆視，當我們聚精會神地看書、電視、電腦或電影時會忘了眨眼睛，心不在焉或沉思也會忘了眨眼睛，造成視力衰退。

三、呼吸是自然視力的習慣，眼睛需要血液中氧氣的滋養，自然地深呼吸、打哈欠都是增加氧氣的吸取。平時看書、打電腦、看電視時，往往忘了呼吸或呼吸很淺，造成視力衰退。

貝茲醫生總結自然視力習慣如下，如果你學習到正常視力的基本原理並隨時實踐，你的視力會恢復正常；所有眼睛折光的誤差是功能性的，因此可以改過，所有視力的誤差來自某些壓力，你自己可以發現壓力減弱你的視力。

正確使用你的眼睛

試著盯看一點五秒或更久，看怎麼樣?所看的一點會模糊不清，最後會不見。你的眼睛會疲倦，當眼睛休息一會兒後，視力會改善，壓力也減輕，放鬆能疏解壓力，要整天都正確地使用你的眼睛，你必須：

一、經常眨眼睛，呆視是壓力，會減弱視力。

二、眼睛不停地移動，從一點看到另一點，先看清楚的部分，其他不是很清楚，當你看一張椅子，不要試著全部都看，先看後背，記得邊眨眼睛邊迅速地將視線從椅背移到椅座和椅腳。這種局部看清楚全面稱爲「中心點」。

三、你的頭和眼睛整天移動，想像靜止的東西朝你的眼睛和頭動的反方向移動，當你在房間或街上走動時，注意地上或路上似乎朝著你過來，兩邊的景物似乎是向相反的方向移動。

恢復視覺的正常運動

貝茲醫生設計了一些練習來快復視覺的正常運動。

一、閉上眼睛，掌心蓋眼，觀想黑色，當你能看到黑色時，視神經才完全放鬆下來，平時看書或電腦二十分鐘，即用掌心蓋眼五分鐘讓眼睛休息，Meir Schneider，這位從小瞎眼的視力老師建議視力不好的人，剛開始的兩星期每天做掌心蓋眼練習一小時，開始時眼睛會有些抽筋，累積的壓力要多次放鬆才去除，一旦放鬆就看得清楚了，先放鬆肩膀、後背，擦熱手心再蓋眼睛。

二、閉眼日光浴——閉上眼睛，面對太陽，觀想陽光進入大腦到全身，頭左右輕鬆地轉動，右轉時順手用右手按摩右眉毛，左轉時用左手按摩左眉毛，日光浴之後再用掌心蓋眼，放鬆幾分鐘，日光浴和掌心蓋眼輪流做，早晨九點以前和下午四點以後的太陽做此運動較理想。

三、保持身體和眼睛的靈活，選一個有遠闊視野的地方做以下的練習。輕鬆地站著，讓身體的重心左右輪流移動，輕鬆的讓眼前景物移動，身體左右轉動，讓視野跟著身體動。

選幾個不同距離的目標，將視線由近到遠、遠到近地移動，做這些練習時，隨時眨眼睛、深呼吸。

平視遠方時，將手伸展到上、下、左、右旁邊到視野的邊緣，同時移動或抖動手，可雙手一起，視線看著前方，這是刺激邊緣神經的運動。

視覺的改善與身體其他部位一樣，須多方面的進行。飲食天然、呼吸新鮮空氣、飲用乾淨的水、適當的運動，都有助益，情緒放鬆，不要刻意瞇眼，對視力改善都有幫助，不要在意暫時的模糊，一般人在一個月內，視力會明顯地好轉，已戴眼鏡的人在恢復期間，眼鏡度數可能會減輕，盡量不戴眼鏡，鏡片過度的校正對眼睛是壓力，因此，往往戴上眼鏡後，視力會持續的衰退。

從恢復視覺的健康，我們同時學到身心健康的方法，也增加對自我康復的信心。

國家圖書館出版品預行編目資料

回歸身的喜悅／雷久南著
台北市：琉璃光
1999〔民88〕　183面：1.2公分
(琉璃光·成長書：2)
ISBN 957-8840-14-4（平裝）
1.健康法
411.1　　　　88015510

琉璃光· 成長書2

回歸〝身〞的喜悅

我的三十年學習

著者：雷久南
發行所：琉璃光出版股份有限公司
發行人：邱麗惠
地址：台北市八德路二段346巷5號1樓
電話：02-27753066（代表線）
傳真：02-27529074
郵政帳戶：琉璃光出版股份有限公司
郵政帳號：16959666
定價：240元
美術設計：李男工作室
圖文組合印刷：加斌有限公司
登記證：局版業字第6559號
總經銷：吳氏圖書有限公司
電話：02-32340036
地址：台北縣中和市中正路788-1號5樓
出版：1999年11月10日初版
　　　2001年6月20日13刷